入門
温暖化を止める
再エネ革命

岩渕 孝 著

学習の友社

まえがき

　日本の「国権の最高機関」である国会は、2020年11月、「気候非常事態宣言」を採択した。どうしてか。「地球温暖化のために、極端気象が頻発するようになり、それによる被害が深刻化している」からだという。それだけでなく、「パリ協定の下で各国が温室効果ガスの削減目標を定めたが、必要な削減量には大きく不足している」といい、「世界は、まさに、気候危機に直面している」というのである。本当か。

　地球温暖化は地球規模の大気現象である。このため、国際社会は、国連の下に「気候変動に関する政府間パネル（IPCC）」を立ち上げ、気候変動に関する科学的知見を集め、『評価報告書』を公表してきた。その最新の『評価報告書』は、どのようなことを教えてくれているか。「気候非常事態宣言」は、「パリ協定の下で各国が温室効果ガスの削減目標を定めたが、必要な削減量には大きく不足している」というが、「パリ協定」というのは、どのようなものなのか。「必要な削減量」を大きく増やすことができるのか。人類は地球温暖化を止めることができるのか。そのための、国際的な仕組みは、整っているのか。この本の第1章では、それらの疑問について、正解を探ることにする。

　「気候変動に関する政府間パネル（IPCC）」の最新の報告書は、「地球を温暖化させているのは人間が排出してきた二酸化炭素（CO_2）」であるといい、「二酸化炭素（CO_2）の排出をゼロにすれば、地球温暖化を止めることができる」と教えてくれている。しかし、人類は、化石燃料に代わるエネルギーを、安定的に確保できるのか。代替エネルギーとしては、いま、太陽光や風力などの再生可能エネルギーへの期待が高まっている。しかし、化石燃料文明から再エネ文明への転換は、そう簡単にできるものではない。再エネ革命は、いま、どこまできているか。今後、再エネ革命を加速させることは、できるのか。この本の第2章では、それらの疑問について、正解を探ることにする。

地球を温暖化させて自らを追い詰めた国際社会は、再エネ革命を加速させるために、「2050年カーボンニュートラル」という目標を掲げて動き出している。しかし、「カーボンニュートラルな電源」には、原子力発電もある。自公政権は、「再エネ発電だけでは電力の安定的な確保はできない」といい、「原発の最大限活用」をめざして動き出している。しかし、福島原発事故を深刻に受け止めたドイツは、「脱原発のカーボンニュートラル」をめざして動き出している。ドイツは「間違った選択」をしたのか。福島原発事故の当事国である日本は、どうして、「原発回帰」をめざすことになったのか。過酷事故を再発する心配はなくなったのか。この本の第3章では、それらの疑問について、正解を探ることにする。

　国際社会は、「地球温暖化を1.5℃に抑える努力」を共有し、「2050年カーボンニュートラル」に向かって動き出している。しかし、再エネ革命を加速させるためには、何を、どうしたらいいのか。そのために、国際社会は、どのような動きを強めているのか。再エネ革命を加速させれば、確かに、地球温暖化を止めることはできる。しかし、再エネ革命には、それ以外の「便益（メリット）」はないのか。IPCCの最新の報告書は、「再エネ革命は、地球温暖化を止めるだけでなく、さまざまな共便益（コベネフィット）をもたらす」という。「コベネフィット」というのは、「追加的な利益」を意味する。そうだとすると、再エネ革命は、地球規模の「持続可能な発展」を促すことになる。この本の第4章では、それらについても、正解を探ることにする。

　人類は、自らの責任で、地球温暖化を引き起こした。しかし、その責任を自覚して、いま、再エネ革命を急展開させようとしている。人類は、はたして、「禍」を「福」に転じさせることはできるのか。「万国の人民」が団結し、英知を結集すれば、間違いなくできるはずである。そう考えて、この本を、刊行することにした。

もくじ

第1章
地球温暖化は止められる

　大型書店へ行くと、『地球温暖化「CO_2犯人説」は世紀の大ウソ』、『「地球温暖化」狂想曲〜社会を壊す空騒ぎ』といった「地球温暖化懐疑・否定」本が並んでいる。「地球は温暖化していない」、「人為的な地球温暖化説は大うそだ」などというのである。

　そもそも、地球は、本当に温暖化しているのか。温暖化しているとしても、人為的な温室効果ガスが主因なのか。地球温暖化は、現在、どこまで進んでいるのか。地球温暖化と極端気象との関係はどこまで明らかになったか。地球温暖化がさらに進むと、地球の自然はどうなってしまうのか。そうならないためには、何を、どうしたらいいのか。そもそも、まだ、間に合うのか。それらの疑問に答えてくれる国際組織はあるのか。あるとしても、その国際組織は、信頼に値するのか。

　地球温暖化問題は、地球規模の課題である。その課題を解決するためには、国際的な仕組みが不可欠である。その仕組みは、いま、どこまで進化しているのか。国際社会は、その仕組みのもとで、はたして地球温暖化を止めることができるのか。

　この章では、以上のような疑問について、報告書や条約などを読みとりながら、「正解」を探してみることにする。

1 地球温暖化を「科学の目」で

（1）記録的な猛暑が続いている

　西ヨーロッパ諸国は、2022年の夏、「過去500年で最悪の干ばつ」に襲われた。ヨーロッパ連合（EU）のヨーロッパ干ばつ観測所（EDO）は、「ヨーロッパ大陸の47％が干ばつの警告対象の状態にある」と報告した。2022年の夏、ヨーロッパの各国で、過去最高気温を上回る猛暑が記録された。世界気象機関（WMO）は、「ヨーロッパの夏季の平均気温は史上最高を記録した」と伝えた。フランスは、電力の約7割を原発に依存している。ところが、冷却水を取り入れている河川の水温が異常に上昇したため、出力の大幅な引き下げを強いられることになった。このため、不足した電力を、「輸入電力」で補うことになった。

　2022年の夏は、日本も、記録的な猛暑に見舞われた。東京都の都心部では、6月25日から7月3日までの9日間、連続して35℃以上の最高気温が記録された。6月30日には、6月としては観測史上最高の36.4℃が観測された。気象庁によると、6月下旬の平均気温の平年差は、東日本では＋4.0℃、西日本では＋3.2℃になったという。

　気象庁は、2022年9月1日、「夏の日本の平均気温と日本近海の平均海面水温の顕著な高温について」というタイトルで、報道発表をおこなった。そして、「顕著な高温の記録」を列記したうえで、「このように日本の平均気温と日本近海の平均海面水温が高くなったことは、日本の南海上を中心に太平洋高気圧の張り出しが強かったことが主な要因と考えられます。また、背景には、二酸化炭素などの温室効果ガスの増加に伴う地球温暖化の影響があるとみられます」とコメントしていた。

　北半球の猛暑は、2023年の夏にも現れた。2023年の7月と8月の日本の平均気温は、気象庁の観測史上で最高を記録した。この記録は、都市化の影響を受けにくい、15の観測所の平均値である。その7月の平

均気温は、1898年以降、1.5℃ほど上がった。都市化の影響を受けやすい東京など4観測所の平均気温は、1898年以降、2.3℃も上がっていた。東京では、7月の猛暑日が13日を数え、これまで最多だった2001年の7日を大きく上回った。文部科学省と気象庁気象研究所は、2023年9月19日、最新の分析手法（イベント・アトリビューション）を用いた研究成果を発表し、「2023年7月下旬から8月上旬にかけての記録的な高温は、人為起源の地球温暖化による気温の底上げがなければ、起こり得なかった」と伝えた。

2023年7月の猛暑は世界各地で記録された。世界気象機関（WMO）とEUの気象機関「コペルニクス気候変動サービス（C3S）」は、2023年7月27日、「7月の世界の平均気温が観測史上で最も高くなることが確実になった」と発表した。国際研究グループ「ワールド・ウエザー・アトリビューション（WWA）」は、2023年7月25日、「この夏のヨーロッパ南部やアメリカの熱波は、地球温暖化がなければ、起こり得ない現象だった」と報告した。そして、「地球温暖化を促してきたのは化石

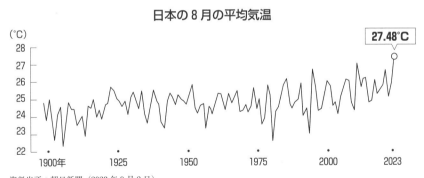

日本の8月の平均気温

資料出所：朝日新聞（2023年9月2日）

　気象庁は、都市化の影響が少ない15の観測所を選び、そこの8月の平均気温の変化を発表している。これまでの最高気温は2010年の27.07℃であり、それに次ぐのが1994年の26.72℃であった。ところが、2023年8月は、それらの数値を大きく上回り、ついに27.48℃を記録することになった。1980年頃までは26℃を超える年はなかったが、それ以降、26℃を超える年が頻発するようになった。

燃料の燃焼である」と指摘し、「化石燃料の燃焼を一刻も早く中止しなければ、より高温で長期間にわたる熱波が発生する」と警告した。

（2）世界は「IPCC」を立ち上げた

北半球は、2023 年の 6 月から 8 月にかけて、記録的な高温に襲われた。しかし、1850 年以降の世界平均気温のグラフを見ると、1940 年代から 1970 年代にかけては、小寒冷期になっていた。このため、日本の気象庁は、1973 年に気候変動調査研究会を設置した。そして、その研究会は、「北半球では寒冷化が進んでいる。現在の寒冷化が続けば、十数年後には、19 世紀以前の低温期に似た気候に近づくことも考えられる」と報告していた。気象庁職員だった根本順吉氏は、1973 年、『氷河期に向かう地球』（風濤社）を刊行し、「現在はじまっているとみられる小氷期も、今世紀いっぱいはつづくものと予想される」（p 26）、「歴史時代に人間が経験した気候の変化よりは、はるかに大きな地球的な寒冷化と、これに関連しておこる急激な環境の変化がきたるべき 2000 ～ 3000 年、場合によっては数世紀以内におこることが期待される」（p 115）と警告していた。

しかし、世界平均気温は、1980 年代に入ると、一転して急上昇するようになった。世界の気象学界では、1970 年代においても、「温室効果ガスによる地球温暖化」を懸念する研究者が多かった。その研究成果を踏まえた世界気象機関（WMO）は、1976 年、二酸化炭素（CO_2）の増加による地球温暖化を懸念する報告書を公表し、1980 年から世界気候研究計画を主催した。さらに、国連環境計画（UNEP）、国際学術連合（ICSU）とともに、1985 年、オーストリアのフィラハで「気候変動に関する科学的知見の整理のための国際会議」を開催した。この会議は、「来世紀前半における世界の気温上昇は、これまで人類が経験したことのない大幅なものになるだろう」と警告し、科学者と政策決定者に対して地球温暖化対策の開始を呼びかけた。その呼びかけにこたえて、世界

気象機関（WMO）と国連環境計画（UNEP）は、1988年に「気候変動に関する政府間パネル（Intergovermental Panel on Climate Change = IPCC）」を設立することにした。

　「Panel」というのは、ここでは、「評価員団」を意味している。ついに、「気候変動に関する政府間の評価員団」が、動き出すことになったのである。それでは、その「IPCC」というのは、どういう役割をになうことになったのか。IPCCは、その名称の通り、「気候変動を研究・発表する国際的な研究集団」ではない。気候変動問題に関する信頼できる研究成果を広く集め、その科学的な確かさを客観的に評価したうえで、確かさを確認できた研究成果を『評価報告書』にまとめる「政府間の評価員団」なのである。IPCCの主体は各国政府であり、各国政府の推薦に基づく名簿から選ばれた専門家がチームを結成し、報告書の原案を作成している。その原案は、各国政府の代表者によって審議され、承認されることになっている。

　とはいえ、「確かさが確認できた研究成果」といっても、その「確かさ」にはさまざまな「レベル」がある。評価員の「見解の一致度」には高低差があり、「証拠の確かさ」にも高低差がある。そこで、『評価報告書』は、それらを総合して、「確信度が非常に高い」、「確信度が高い」、「確信度が中程度」などと付記しているわけである。「研究成果の確かさ」を多数決によって決定するようなことはせず、具体的な内容ごとに、「確信度の高低」を明記することにしたのである。たとえば、地球温暖化と極端気象との因果関係については、まださまざまな見解がある。そのような違いを、そのまま、「確信度の高低」で表すことにしたのである。

（3）「確信度」を増す IPCC の『報告書』

　1988年に設立された「気候変動に関する政府間パネル（IPCC）」は、1990年には『第1次評価報告書』を発表し、1992年に採択された気候

変動枠組条約の発効を促した。しかし、その頃は、気候変動に関する科学的な知見の蓄積が乏しかったため、「人間活動が及ぼす温暖化への影響についての評価」は、「人為的な温室効果ガスが、気候変動を生じさせる恐れがある」という程度にとどまっていた。

　それがその後、次第に確信度を高めるようになり、2007年に発表された『第4次評価報告書』では、「地球温暖化には疑う余地はない。20世紀半ば以降の地球温暖化のほとんどは、人為的な温室効果ガスの増加による可能性が非常に高い（発生確率＝90％以上）」とグレードアップするまでになった。「地球温暖化懐疑・否定」論者は、「地球は温暖化していない」とも主張するが、『評価報告書』は、「地球温暖化には疑う余地はない」といいきるまでになったのである。

　しかし、「人為的な温室効果ガスと地球温暖化の因果関係」については、「可能性が非常に高い（発生確率＝90％）」という報告にとどまっていた。それが、2021年に発表された『第6次評価報告書』になると、「人間の影響が大気、海洋及び陸域を温暖化させてきたことには疑う余地はない」と断定するところまで、グレードアップすることになったのである。

　その『第6次評価報告書』には、第1作業部会がまとめた「自然科学的根拠編」、第2作業部会がまとめた「影響編」、第3作業部会がまとめた「緩和・適応編」などの報告書があり、さらにそれらをまとめあげた『統合報告書』がある。そのうちの第1作業部会を例にとると、66ヵ国から200人以上の執筆者が参加し、1万4000本の論文について、3回にわたる専門家による内容のチェックが重ねられた。そして、寄せられた7万8000件の質問・意見等については、そのすべてについて執筆者が応答し、質問・意見と応答のすべてが公開された。『評価報告書』は、「本文」、「技術要約」、「政策決定者向け要約」に分かれているが、各国の地球温暖化対策に直結する「政策決定者向け要約」については、総会の場で参加国の代表者等によって審議され、全会一致で承認されてい

る。ここでも、「地球規模での民主主義」が、つらぬかれているのである。

（4）人間活動が温暖化を引き起こした

　2023年3月20日に発表された最新の『統合報告書（政策決定者向け要約）』は、まずは、「人間活動が主に温室効果ガスの排出を通して地球温暖化を引き起こしてきたことは疑う余地がなく、1850〜1900年を基準とした世界平均気温は2011〜2020年に1.1℃の温暖化に達した」と報告している。「1850〜1900年」というのは、「産業革命（工業化）以前の時代」とあまり違わない時代である。その時代の世界平均気温と「2011〜2020年」の世界平均気温をくらべると、すでに地球は1.1℃も温暖化しているというのである。それだけでなく、「1970年以降の世界平均気温の上昇は、過去2000年間のどの50年間よりも加速している」と報告し、地球温暖化がこれまでになく加速していると警告している。「最近の地球温暖化のテンポは、"キリスト生誕"以来、最速になってい

世界の年平均気温の推移

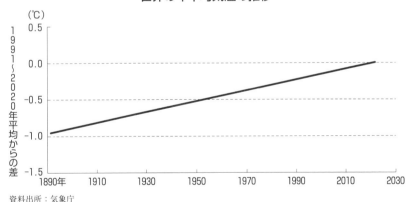

資料出所：気象庁

　縦軸の数値は1991〜2020年の平均値との差を示す。1890年頃から1920年頃までは、世界平均気温は、1991年〜2020年とくらべると、1℃近くも低い年があった。その後も、1980年頃までは、0.5℃前後は低かった。ところが、2010年以降は、1991〜2020年の平均値を大きく超えるようになった。そして、2023年には、「約12万5千年前以来」という高温を記録することになった。

る」というのである。そして、そのような地球温暖化を引き起こしたのは、ほかでもない、「人間活動による温室効果ガスの排出であった」といいきっているのである。

それでは、その温室効果ガスのうち、何が「主役」となってきたのか。IPCC の『第 6 次評価報告書（第 3 作業部会）』は、人為的な温室効果ガスの排出量に占めるガス別の内訳を示している。それによると、二酸化炭素 = CO_2 が 75.0 %（2019 年）を占めていた。その CO_2 について、最新の『統合報告書』は、「2019 年の CO_2 の大気中の濃度は過去 200 万年間のどの時点よりも高くなっていた」と報告している。258 万 8000 年前から始まった新生代第 4 紀は、南極大陸に氷床が存在し続けていたため「氷河時代」とも呼ばれ、「人類の時代」とも呼ばれている。2019 年の CO_2 の大気中の濃度は、「人類の時代」に入ってから、もっとも高くなっているというのである。そして、その CO_2 が地球温暖化をもたらしたことについては、「疑う余地はない」と断定しているのである。

温室効果ガス総排出量に占めるガス別の排出量（2019 年）

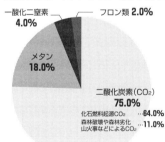

資料出所：IPCC 第 6 次評価報告書

この数値は IPCC『第 6 次評価報告書』から引用したものである。温室効果ガスには、二酸化炭素（CO_2）のほかに、メタン、一酸化二窒素、フロン類などがある。しかし、「ガス別の内訳」をみると、CO_2 が 75.0 %を占めていることが分かる。しかも、さらにその内訳を見ると、「化石燃料起源の CO_2」が 64.0 %を占めていることが分かる。「脱化石燃料」が「時代の要請」になっている。

（5）温暖化の影響は顕在化している

　最新の『統合報告書』は、「人為的な影響によって大気、海洋及び陸域が昇温したことは疑う余地はない」といいきったうえで、「世界平均海面水位は、1901 ～ 2018 年の間に、0.2 ｍも上昇した」と続けている。海洋が昇温すると、海水は膨張する。陸域が昇温すると、氷河や氷床が融解する。このため、世界の海面水位は、20 世紀以来、すでに 20cm も上昇しているというのである。

　地球が温暖化すると、極端な気象現象が頻発するようになる。『統合報告書』は、「熱波、大雨、干ばつ、熱帯低気圧などの極端現象について観測された変化に関する証拠及びそれらの変化が人間の影響によるとする原因特定に関する証拠は、『第 5 次評価報告書（2013 ～ 2014 年）』以降強まっている」と報告している。「極端現象」については「このところ、「本当に極端現象が増えているのか」、「極端現象が増えているとしても、そのことと人為的な地球温暖化との因果関係は、科学的に立証されているのか」などといった疑問が提起されてきた。そのことについ

地球の CO$_2$ 濃度の変遷

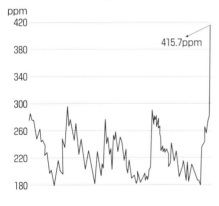

415.7ppm

資料出所：米航空宇宙局（NASA）資料に基づき作成

　大気中に含まれている CO$_2$ の濃度は、40 万年前から産業革命までは、300ppm を超えることはなかった。それが、産業革命以降、急上昇するようになり、2021 年には 415.7ppm を記録するまでになった。

　そのような異常事態を招いたのは、ほかでもない、産業革命以降の化石燃料の大量消費であった。

　だから、化石燃料の燃焼をただちに止めれば、CO$_2$ の濃度を安定化することができるはずである。そのように考えて、国際社会は、「2050 年までの脱化石燃料」をめざして、動きだしているのである。

て、『統合報告書』は、「証拠は、ますます、強まっている」といいきっているのである。

その『統合報告書』を日本に紹介している気象庁は、2022年3月、『気候変動監視レポート2021』を発表した。そして、「日本における極端な気温」については、「統計期間（1910〜2021年）における日最高気温が35℃以上になる猛暑日の日数は増加し、その猛暑日の日数は、1990年代半ばを境に大きく増加している」、「日最低気温が25℃以上の熱帯夜の日数は増加している」と報告している。また、「日本における極端な降水量」については、「日降水量100㎜以上及び日降水量200㎜以上の日数は、1901〜2021年の121年間で、ともに増加している（それぞれ信頼水準99％で統計的に有意）」と報告している。

気象庁の気象研究所は、2022年9月6日、文部科学省とともに「令和4年6月下旬から7月初めの記録的高温」に関する報道発表をおこなった。そして、「イベントアトリビューションの手法を適用したところ、人為起源の地球温暖化がなければ、1200年に1度しか起こり得ない非常に稀な現象が、今夏の状況下では、5年に1度の頻度で起こるようになっている」と報告した。イベントアトリビューションというのは、異常気象現象（イベント）と地球温暖化との関係を、モデルを用いた実験などで、定量的に評価する手法である。気象研究所と文部科学省は、その手法を用いて、「記録的な高温と地球温暖化との関係」を数値で示すことにしたのである。

『統合報告書』は、「人為的な地球温暖化は、自然と人々に対し広範な悪影響、損失と損害をもたらしている（確信度が高い）」といいきって、「気象と気候の極端現象の増加によって、何百万人もの人々が急性の食料不安にさらされている」、「2010〜2020年の洪水、干ばつ、暴風雨による人間の死亡率は、脆弱性が高い地域において、脆弱性が非常に低い地域とくらべて15倍高かった（確信度が高い）」と続けている。また、「すべての地域において、極端な暑熱が人間の死亡や疾病を引き起こし

ている（確信度が非常に高い）」といい、「気候に関する食品媒介性感染や水媒介性感染の発生（確信度が非常に高い）、生物媒介性感染の発生（確信度が高い）が増加している」と続けている。

（6）温暖化は地球の自然をさらに変える

　最新の『統合報告書』は、「継続的な温室効果ガスの排出は、さらなる地球温暖化をもたらす。地球温暖化が進行するにつれ、同時多発的なハザードが増大する（確信度が高い）」と警告し、「温室効果ガスの排出量が非常に少なくなるシナリオでも、地球温暖化が1.5℃を超える可能性が非常に高い」と続けている。「ハザード」という語句は、「潜在的な危険性」を意味している。「シナリオ」という語句は、「道筋」を意味している。「温室効果ガスの排出量が非常に少ない道筋を選んだとしても、同時多発的な危険性がますます増大し、地球温暖化が1.5℃を超える可能性が非常に高くなる」というのである。

　『統合報告書』は、「地球温暖化がさらに進むごとに、極端現象の変化がさらに拡大し続ける」、「ほとんどすべての氷雪圏で、面積と体積のさらなる減少が起こる」、「世界平均海面水位はさらに上昇する」、「熱帯低気圧や温帯低気圧のさらなる強化が進む」、「乾燥度が増加し、火災が発生しやすい気象条件が増加する」などともいう。

　そのうちの「極端現象の変化」については、「10年に1度の確率で起こる極端な熱波が、1850〜1900年とくらべると、現在でも2.8倍になっているが、温暖化が＋4℃になると、それが9.4倍になる」、「10年に1度の確率で起こる極端な干ばつが、1850〜1900年とくらべると、現在でも1.7倍になっているが、温暖化が＋4℃になると、それが4.1倍になる」、「10年に1度の確率で起こる豪雨が、1850〜1900年とくらべると、現在でも1.3倍になっているが、温暖化が＋4℃になると、それが2.7倍になる」などと報告している。

　日本の気象庁が発表した『日本の気候変動2020』も、「4℃上昇シナ

リオ」だと、「猛暑日は全国平均で約 19 日も増加する」、「熱帯夜は全国平均で約 41 日も増加する」と予測している。また、「20 世紀末（1980 ～ 1999 年）とくらべると、日降水量 200mm 以上の年間日数は約 2.3 倍なり、1 時間降水量 50mm 以上の短時間強雨の頻度が 2.3 倍になる」などと予測している。

『統合報告書』は、「突発的で不可逆的な変化が起こる可能性は、地球温暖化の水準が高くなるにつれ増加する」、「可能性は低いが、潜在的に非常に大きな悪影響をともなう結果が起こる確率は、地球温暖化の水準が高くなるにつれて増加する」ともいう。現代の地球科学は、「地球の自然現象には、ある転換点を超えると、元にもどらなくなる数値がある」と考え、その転換点を「ティッピングポイント」と呼んでいる。『統合報告書』は、「ティッピングポイントを排除することはできない」としたうえで、「氷床の融解と海面水位の上昇」への懸念を示し、「温暖化の水準が 2 ～ 3℃ の間で持続する場合、グリーンランド及び南極西部の氷床は、数千年にわたってほぼ完全にかつ不可逆的に消失し、数メートルの海面水位の上昇をもたらす（証拠が限定的）」というのである。

地球温暖化による海面水位の上昇は、島国である日本にとっても、他人事ではなくなっている。日本の場合、標高 5 m 未満の土地に、全人口の 16.2%（2000 年）が居住している。その住民も、海面水位が 5 m を超えて上昇すると、郷土を失うことになる。標高が 10 m 未満の土地に居住している人口（2000 年）は、中国には 1 億 4850 万人、インドには 7397 万人、バングラデシュには 6605 万人、日本にも 3066 万人もいる。それらの人々は、海面水位の上昇が 10 m を超えると、居住地を失うことになる。『統合報告書』は、「温室効果ガスの排出量が非常に多いシナリオだと、2300 年までに、世界平均海面水位の上昇が 15 m を超える可能性も排除できない」ともいう。

ツバルは、南太平洋に浮かぶ、小島嶼国（小さな島国）の一つである。首都のあるフォンガファレ島の標高は、最高地点でも約 4 m しかな

世界の海面水位の推移

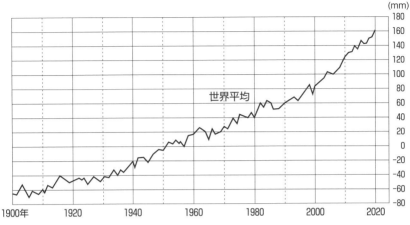

資料出所：『日本の気候変動2020』気象庁

> このグラフは1900年から2020年までの世界の海面水位の推移を描いたものである。縦軸は、1981年から2010年までの平均値を基準として、それとの差（mm）を示している。1900年の世界の海面水位は、平均値と比べると、約60mmも低かった。それが2020年になると、約160mmも高くなっている。世界の海面水位は、1900年から2020年までの間に、約220mm（22cm）も上昇したことになる。

く、平均標高は1.5mにすぎない。このような国は、海面水位が5mを超えて上昇すると、全国土を失うことになる。このような小島嶼国は、1990年、「小島嶼国連合」を設立した。44ヵ国・地域が参加する小島嶼国連合は、「地球温暖化による国土の喪失」を死活問題だとして、「地球温暖化対策の前倒し」を世界に求めている。

　『統合報告書』は、「可能性は低いが、潜在的に非常に大きい悪影響を伴う結果」の一つに、「大西洋子午面循環の衰え」をあげている。「大西洋子午面循環が2100年以前に突然衰えないことの確信度は中程度だが、衰えた場合には、地域の気象パターンに突然の変化をもたらし、生態系や人間活動に大きな影響を与える可能性が非常に高い」という。大西洋子午面循環というのは、大西洋北部で沈み込んだ冷たい海流が、深層を経由して暖かいメキシコ湾流として大西洋北部に向かう循環であ

り、西ヨーロッパの気候を温暖化させている。この大西洋子午面循環が突然停止すると、当然のことながら、西ヨーロッパの気候は寒冷化する。大西洋子午面循環が突然停止するようなことになれば、熱帯雨林帯が低緯度方向に移動し、アジアやアフリカのモンスーンが弱まり、ヨーロッパが乾燥化するなど、気象パターンと水循環の突然の変化を引き起こす可能性が非常に高いだろうとも懸念されている。

（7）地球温暖化は止めることができる

　最新の『統合報告書』は、「人間活動が主に温室効果ガスの排出を通して地球温暖化を引き起こしたことは疑う余地はない」といいきり、「2019年には、世界全体の温室効果ガス排出量の約79％は、エネルギー、産業、運輸及び建築物の各部門に由来した」と続けている。そのような事実認識を踏まえて、「人為的な地球温暖化を抑制するには、CO_2排出量を正味ゼロにする必要がある」と指摘し、「CO_2排出量の正味ゼロが、持続されれば、世界平均気温の段階的な低減をもたらす」とも教えてくれている。しかし、「許容されるCO_2排出量」は、どのくらい残っているのだろうか。

　『統合報告書』は「カーボンバジェット」という用語を使う。カーボンバジェットという用語は、直訳すると「炭素予算」ということになる。地球温暖化による気温の上昇をある数値で抑えようとするとき、排出できるCO_2の上限を示す用語である。国際社会は、2015年に「パリ協定」を採択し、「温暖化を2℃未満に抑える。できれば、1.5℃に抑える」という目標を共有した。そのことを踏まえて、『統合報告書』は、「2020年の初めからの残りのカーボンバジェットは、50％の確率で温暖化を1.5℃に抑えようとすると、5000億トンのCO_2排出量ということになる。67％の確率で温暖化を2℃に抑えようとすると、残りのカーボンバジェットは1兆1500億トンのCO_2排出量ということになる」という。2019年の世界のCO_2の排出量は335億トンだった。そうだとすると、

その排出量の水準のままでいると、50％の確率で温暖化を 1.5℃ に抑えようとすると、残余のカーボンバジェットは「約 15 年分」しかないことになる。

　そのことを踏まえて、『統合報告書』は、「気候変動は人間の幸福と惑星の健康に対する脅威である」としたうえで、「全ての人々にとって住みやすく持続可能な将来を確保するための機会の窓が急速に閉じている（確信度が非常に高い）」と警告しているのである。

　『統合報告書』は、「温室効果ガスの排出が続けば、全ての気候システムの構成要素にさらに影響を与え、多くの変化は数百年から数千年の時間スケールで非可逆的になり、地球温暖化の更なる進行とともにさらに拡大する」、「緊急で、有効かつ衡平な緩和と適応の行動を取らなければ、気候変動は、生態系、生物多様性、並びに現在及び将来世代の生計、健康、幸福に対するますます大きな脅威となる」と警告している。しかし、その一方で、「この 10 年間の大幅で急速かつ持続的な緩和と、加速化された適応の行動によって、人間及び生態系に対して予測される損失と損害を軽減し（確信度が非常に高い）、とりわけ大気の質と健康について、多くの共便益（コベネフィット）をもたらすだろう」とも教えてくれている。

　「衡平」という用語は、「つりあいのとれた」といいかえることができる。「つりあいのとれた温暖化対策をとらないでいると、大きな脅威にさらされるようになる」というのである。IPCC の報告書は、「緩和」と「適応」という用語を使う。そのうちの「緩和」という用語は、「地球温暖化への対策」を指している。「適応」という用語は、「地球温暖化の影響への対策」を指している。「共便益」という用語は、直訳すると、「あわせて得られる便益」ということになる。「地球温暖化とその影響への対策を適切におこなえば、地球温暖化を止めることができるだけでなく、副次的、間接的な便益をも、あわせて得られるようになる」というのである。

『統合報告書』は、「この10年間」の先については、どのような科学的知見を示しているか。「温暖化を1.5℃に抑えようとするなら、2050年代初頭にCO$_2$排出量を正味ゼロにし、その後は正味マイナスにしなくてはならない」、「温暖化を2℃に抑えようとするなら、2070年代初頭にCO$_2$排出量を正味ゼロにしなくてはならない」という。そのような科学的知見を受けて、国際社会はいま、「2050年カーボンニュートラル」をめざして動き出しているのである。

　それでは、その動きを促すために、国際社会は、どのようなシステムをつくってきたか。『統合報告書』は、「緩和に対処する政策及び法律は、IPCCの『第5次評価報告書』以降、一貫して拡充してきている」、「国連気候変動枠組条約、京都議定書、及びパリ協定は、各国の野心レベルの引き上げを支援している」などと報告している。国際社会には、「地球温暖化を止めるための政策や法律」が、すでに備わっているというのである。

　『統合報告書』は、その一方で、「2021年10月までに発表された"国が決定する貢献"によって示される2030年の世界全体の温室効果ガス排出量では、温暖化が21世紀の間に1.5℃を超える可能性が高く、温暖化を2℃より低く抑えることがさらに困難になる可能性が高い」とも警告している。そうだとすると、「国が決定する貢献」を、可能な限り引き上げなくてはならないことになる。どうしたらいいのか。国際社会は、そのためにいま、どこに向かって動き出しているのだろうか。

Ⅱ．国際社会は温暖化を止める

（1）世界は「気候変動枠組条約」を共有した

　IPCCの『第6次統合報告書』は、「人為的なCO$_2$の排出量をゼロにすれば、地球温暖化を止めることができる」と教えてくれた。しかし、

CO$_2$を排出する化石燃料の消費は、そう簡単にはやめられない。しかも、地球温暖化問題に向き合っている世界は、200近い国や地域に分かれている。そのような世界が、協力して立ち向かうためには、「地球温暖化を止めるための国際的なルール」が必要不可欠である。国際社会はそのように考えて、1990年に発表されたIPCCの『第1次評価報告書』を受けて、1992年に気候変動枠組条約を採択した。

　気候変動枠組条約は、前文に「人間活動が大気中の温室効果ガスの濃度を増加させること、その増加が自然の温室効果を増大させること並びにこのことが、地表及び地球の大気を全体として追加的に温暖化することとなり、自然の生態系及び人類に悪影響を及ぼすおそれがある」と記述し、人為的な温室効果ガスによる地球温暖化が、人類に悪影響をもたらすことを認め合った。

　そのうえで、第2条に「気候に対して危険な人為的干渉を及ぼすこととならない水準において、大気中の温室効果ガスの濃度を安定化させることを究極の目的とする」と記述し、「気候変動枠組条約の目的」を明文化した。

　さらに、第3条に「締約国は、平衡の原則に基づき、かつ、それぞれ共通に有する差異のある責任及び各国の能力に従い、人類の現在及び将来の世代のために気候系を保護する」と記述し、地球温暖化に対しては先進国と途上国の間には「差異のある責任」があることをも明記した。また、「気候系の保護」は、「現在世代への責任」てあるだけでなく、「将来世代への責任」でもあることも明記した。

　気候変動枠組条約は、第3条には「深刻な又は回復不能な損害のおそれがある場合には、科学的な確実性が十分にないことをもって、このような予防措置をとることを延期する理由にすべきではない」と記述し、「科学的確実性が十分ではないことを口実にして、地球温暖化対策を先送りすべきではない」とクギを刺している。

　さらに、第4条では、「付属書1に掲げる締約国＝先進国」に対して、「温

地域別にみる世界の CO_2 排出量の推移

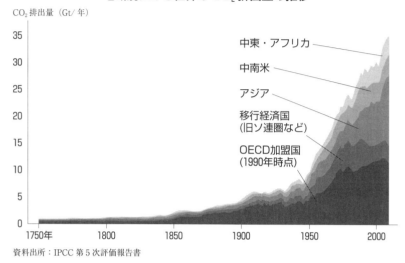

CO$_2$ 排出量（Gt/ 年）

資料出所：IPCC 第 5 次評価報告書

> 　世界の CO_2 排出量は工業化が始まった 1750 年頃から増加するようになった。それ以降、1950 年頃までは、CO_2 排出量の大部分を占めていたのは「OECD 加盟国（先進諸国）」であった。「差異のある責任」が読みとれる。しかし、1950年頃からは、「アジア」などの途上国の排出量も急増することになった。このため、「共通に有する責任」を踏まえて、パリ協定が締約されることになった。

室効果ガスの人為的な排出を抑制すること並びに温室効果ガスの吸収源及び貯蔵庫を保護し及び強化することによって、気候変動を緩和するための自国の政策を採用し、これに沿った措置をとること」を義務化した。

　国際条約には、法的拘束力がある。これまで温室効果ガスを排出してきた先進国は、この気候変動枠組条約によって、地球温暖化対策を真摯に進めることを、全世界に向かって約束させられることになったのである。

（2）京都議定書からパリ協定へ

　気候変動枠組条約は、第 7 条に「この条約により、締約国会議（Conference of the Parties = COP）を設置する」と記述し、締約国会議の設置を明記した。そして、その締約国会議（COP）を「条約の最高機

関」とするとして、「この条約の効果的な実施を促進するために必要な決定を行うこと」を求めた。

　気候変動枠組条約に署名し、批准などの手続きをとった国は、気候変動枠組条約の締約国になる。その最初の締約国会議（COP）は、まずはドイツのベルリンで開催され、それ以来、1年に1回、開催地を変えて開催されてきた。そして、1997年に日本の京都で開催された「COP3」では、「京都議定書」が採択されることになった。

　京都議定書は、気候変動枠組条約で温室効果ガスの削減義務が明記された先進国に対して、「2008年から2012年までの第1約束期間において、温室効果ガスの排出量を、1990年レベルから少なくとも5.2％削減する」と記述し、温室効果ガスの削減を義務化した。しかし、アメリカのブッシュ政権は、「途上国に削減義務が課されないのは不公平だ」、「削減義務はアメリカ経済に打撃を与える」といった理由をあげて、2001年3月には京都議定書からの離脱を一方的に表明した。それに便乗して、カナダも京都議定書からの離脱を表明し、日本も第2約束期間からの離脱を一方的に通告した。

　京都議定書は、地球温暖化対策のための「歴史的な第一歩」にはなったものの、西ヨーロッパ諸国を除くと、温室効果ガスの排出を削減させる国際条約にはなりえなかった。

　気候変動枠組条約は、産業革命以後、温室効果ガスを排出してきた先進国に、その削減義務を明記した。しかし、京都議定書以後、途上国の温室効果ガスの排出量が急増するようになった。温室効果ガスの「主役」であるCO_2の排出量は、1990年の段階では、途上国の比率は45％にとどまっていた。それが、2013年には61％まで上昇し、2030年には70％になると予測されるようになった。

　このため、締約国会議（COP）では、「すべての国が参加する新たな国際協定」が、模索されることになった。そして、2015年にパリで開催された第21回締約国会議（COP21）において、「すべての国が参加す

るパリ協定」が採択されることになった。そのパリ協定は、2016年11月4日には発効し、全世界が参加する国際条約として機能することになったのである。

（3）パリ協定のもとで温暖化を止める

　パリ協定は、第2条において「世界全体の平均気温上昇を、工業化以前よりも、2℃高い水準を十分に下回るものに抑えるとともに、1.5℃に抑える努力を継続する」という目標をかかげ、第4条において「世界の温室効果ガスの排出がピークに達する時期をできる限り早め、今世紀後半には人為的な温室効果ガスの排出と吸収源による除去の均衡を達成する」と宣言した。全世界が参加する国際条約において、国際社会は初めて、「地球温暖化を止めるための数値目標」を共有することになったのである。

　パリ協定の第4条は、「各締約国は、地球温暖化を緩和するための貢献（削減目標・行動計画）を作成し、気候変動枠組条約の事務局に提出して、それを維持するようにする」と記述し、「緩和に関する国内措置を遂行する」とつけ加えた。京都議定書では、各国の削減目標は、締約国会議（COP）で決められることになった。しかし、パリ協定では、各国が自主的に作成することになった。そうなると、各国は「罰則規定」がないため、できるだけ削減目標を低く設定しようとする。そうすると、世界全体の削減目標も低くなり、第2条に明記した削減目標は達成できなくなる。

　パリ協定は、そうならないようにするために、削減目標を気候変動枠組条約の事務局へ提出することを、義務づけることにしたのである。それを受けとった事務局では、専門調査団が各国の削減目標・行動と国内措置が適切なものであるかどうかを、厳しくチェックすることにしたのである。

　そのうえで、第4条は、「直前の決定を超えて前進すること」、「できる限り高い野心を反映すること」を求めることにした。そして、「国が

決定する貢献（削減目標・行動計画）を 5 年ごとに通報する」とも記述
し、各国の「誠意」を気候変動枠組条約の事務局がチェックできるよう
にした。

　第 4 条は、「先進締約国は、経済全体における排出の絶対量の削減目
標に取り組むことによって、引き続き先頭に立つべきである」と記述
し、「先進国の奮起」を促している。それだけでなく、「開発途上締約国
は、自国の緩和に関する努力を引き続き強化すべきである」とも記述
し、「途上国の奮起」をも促している。

　しかし、途上国には、「緩和のために必要な資金」を調達することは
できない国もある。そこで、第 9 条には、「先進締約国は、緩和及び適
応に関し、開発途上締約国を支援するため、資金を供与する」と記述さ
れることになった。それだけでなく、「開発途上締約国への資金の供
与」については、先進締約国以外の「他の締約国」にも、任意に資金を
提供することが推奨されることになった。

　パリ協定が発効するためには、55 ヵ国以上が批准し、批准国の温室
効果ガス排出量が全排出量の 55 ％を超える必要があった。その条件は、
2016 年 10 月 5 日には満たされ、パリ協定は、2016 年 11 月 4 日に発効
することになった。ところが、2017 年 1 月 9 日に就任したアメリカの
トランプ大統領は、2017 年 6 月 1 日には「パリ協定からの離脱」を一
方的に表明し、2019 年 11 月 4 日には「パリ協定の離脱」を国連に正式
通告した。

　しかし、そのトランプ氏は、2020 年、大統領選挙で敗北した。勝利
した民主党のバイデン大統領は、就任直後に「パリ協定への復帰」を国
連に通知し、2020 年 2 月 19 日には「パリ協定への復帰」を果たすこと
になったのである。

　トランプ氏は、「パリ協定に残ると、アメリカは、巨額の負担を強い
られる」、「化石燃料関連産業・地域が衰退する」などと主張していた。
彼は、大企業からの政治献金に依存していたが、そのトップ企業 10 社

のうちの最上位2社は、いずれも石炭採掘会社であった。

　しかし、アメリカには、「もう一つのアメリカ」が厳存していた。トランプ氏が「パリ協定からの離脱」を表明した直後、123の市と9の州、902の企業・機関投資家が、「We Are Still in（我々はパリ協定にとどまる）」という組織を立ち上げ、「我々は、連邦政府にかわって、温室効果ガス削減の責任を果たす」という声明を国連に提出したのである。その組織の加盟者は、2019年11月には1億2000万人に達し、バイデン政権の誕生を支えることになった。

（4）「2050年カーボンニュートラル」を

　全世界は、パリ協定を共有し、「地球温暖化を1.5℃に抑える努力を継続する」、「今世紀後半には、人為的な温室効果ガスの排出を、実質ゼロにする」と約束しあった。それを受けて、2019年以降、「2050年カーボンニュートラル」をあいついで表明することになった。

　「カーボンニュートラル」というのは、直訳すると、「炭素中立」ということになる。地球温暖化を促すのは、人為的な温室効果ガスである。その温室効果ガスの「主役」は二酸化炭素＝CO_2である。そのCO_2は、化石燃料の燃焼にともなって、大気中に排出される。その一方で、植林などを進めると、大気中から吸収することができる。だから、化石燃料の燃焼にともなうCO_2の排出量と植林などによるCO_2の吸収量を等しくすると、大気中のCO_2を「プラスでもマイナスでもない状態」に保つことができることになる。「中立（ニュートラル）の状態」になるはずである。そのような状態を「炭素中立＝カーボンニュートラル」と呼び、それを、2050年までに達成しようとするのが「2050年カーボンニュートラル」なのである。

　EU委員会は、2019年12月、「ヨーロッパ・グリーンニューディール」を発表し、「2050年までに温室効果ガス排出量の実質ゼロをめざしつつ、経済成長を実現する」と宣言した。EUから離脱したイギリスは、

2019年6月に気候変動法を改正し、「2050年カーボンニュートラル」を法制化した。アメリカでは、バイデン氏と大統領候補を争ったサンダース氏が、2019年8月、詳細なグリーン・ニューディール案を発表した。そして、「2030年までに電力と輸送を100%再エネでまかない、2050年までに経済の脱炭素化を達成する」という目標を掲げた。同時期に発表された民主党綱領も、「2050年カーボンニュートラル」を掲げた。

　EUと中国は首脳会談を開催し、2020年9月14日、「EUと中国は、環境と気候について、ハイレベルな対話を確立する」という声明を発表した。その直後の2020年9月22日、中国の習近平主席は、国連総会でのビデオ演説で、「中国は2060年カーボンニュートラルを達成する」、「世界にグリーン・リカバリーを求める」などと語った。

　その約1ヵ月後の2020年10月26日、日本の菅義偉首相は、所信表明演説で、「わが国は、2050年までに、温室効果ガスの排出を全体としてゼロにする、すなわち2050年カーボンニュートラル、脱炭素社会の実現をめざすことを、ここに宣言いたします」と語った。

　2020年11月3日に実施されたアメリカ大統領選挙の結果は、「2050年カーボンニュートラル」にはずみをつけることになった。パリ協定からの離脱を国連に通告したトランプ氏は敗北し、パリ協定への復帰を掲げていたバイデン氏が勝利した。バイデン大統領は、就任初日の2021年1月20日には「パリ協定への復帰にかかわる文書」に署名し、公約だった「2050年カーボンニュートラル」にむけた具体案をあいついで発表した。さらに、2021年10月31日から開催されていたCOP26に気候変動問題大統領特使を送り、「1.5℃目標を達成するため、両国は、取り組みを強化する」などと列記した中国との共同声明をとりまとめさせた。

　そのような「アメリカの変身」は、「2050年カーボンニュートラル」を、一気に加速させることになった。「カーボンニュートラル」に消極的だったロシアのプーチン大統領も、2021年10月、国内で「2060年カーボンニュートラル」を表明した。インドのモディ首相は、2021年11月

の COP26 において、「2070 年カーボンニュートラル」を表明した。このため、2021 年 11 月には「年限を区切ったカーボンニュートラルの実現を表明した国・地域」は 154 ヵ国・1 地域となり、それらの国・地域が世界の CO_2 排出量に占める比率は、79％に達することになった。

日本経済団体連合会（日本経団連）は、2020 年 12 月、『2050 年カーボンニュートラル実現に向けて』と題する広報を発表した。そしてそこで、「“気候危機” が叫ばれる中、気候変動問題の解決に真摯に取り組む方針を総理が示されたことは英断である」と「英断」を称賛し、「経済界として高く評価するとともに、“2050 年カーボンニュートラル” に向け政府とともに不退転の決意で取り組む」と宣言した。そして、「産業革命以来の人類とエネルギーの関わりは根本の変革が不可欠になる。経済社会全体の根底からの変革が不可欠であり新しい社会の実現が必要となる。この挑戦は、現時点でどの国も成し遂げていないが、未来に向けて人類が避けて通ることのできない課題である」との認識を示し、「経済界として大きな覚悟をもって先駆的な役割を果たしていく」と宣言した。

利潤第一主義にとらわれがちな日本経団連は、どうして、このような文書を発表することになったのか。日本経団連は、2017 年に発表した『今後の地球温暖化対策に関する提言』の中では、「“2050 年 80％削減” は、政府が東日本大震災以前に掲げた長期目標であり、震災後のわが国のエネルギー事情の変化等を踏まえたものではなく、その妥当性に疑問がある」と政府の地球温暖化対策に難癖をつけていた。カーボンニュートラルについては、「100％削減」どころか、「80％削減」についても、非現実的であると主張していたのである。ところが、前掲『2050 年カーボンニュートラルの実現に向けて』になると、「主要国・地域はグリーン成長を国家戦略・産業政策の柱と位置付け、新たな競争に乗り出している。現状に手をこまねいていれば、“経済と環境の好循環” の実現はおろか、グリーン成長をめぐる国際的な競争に大きく劣後し、わが国の産業競争力や立地拠点としての競争力を一気に喪失することになり

かねない」、「グリーン成長を巡る国際的な競争が激化する中、イノベーションの創出は、今後のわが国の競争力強化にとって死活的に重要な課題である」と記述するようになった。

それに追従した政府も、2021年6月18日、『2050年カーボンニュートラルに伴うグリーン成長戦略』を発表した。そして、その冒頭で「温暖化への対応を、経済成長の制約やコストとする時代は終わり、国際的にも、成長の機会と捉える時代に突入したのである」と記述し、「グリーン成長戦略」への転換をうたった。「2050年カーボンニュートラルに向けて、電力部門の脱炭素化は、大前提である」、「再生可能エネルギーは、最大限導入する」、「地球温暖化対策を積極的に推進し、経済と環境の好循環を実現していく」などと続けた。

日本経団連と日本政府は、「主要国は2050年カーボンニュートラルとグリーン成長をめざして動き出している」、「その動きに乗り遅れると、日本は落伍者になる」というのである。しかし、日本経団連と日本政府の「変身」を迫ったのは、それだけではなかったのである。西ヨーロッパとアメリカは、地球温暖化対策を怠っている国に対して、「国境炭素税」を課そうとしていたのである。

（5）温暖化対策を促す国境炭素税

地球温暖化対策には、それなりの費用がかかる。そこでEUは、環境規制の不十分な国からの輸入品に対して、懲罰的な関税をかけることにしたのである。EUのフォン・デア・ライエン委員長は、2019年10月、「企業が公平な競争条件で競争できるよう、国境炭素税を導入する」と語った。それを受けて、EU加盟国は、2023年4月25日に国境炭素税の導入を決定した。2023年10月から移行期間が始まり、EUに輸出する企業は、輸出品のCO_2排出量の報告を義務づけられることになった。EUと同じレベルの地球温暖化対策を実施している国は対象外になる。日本が「温暖化対策が不十分な国」のままでいると、EUへの輸出品に

ついては、国境炭素税を課されることになったのである。

　そのような動きは、日本の主要な貿易相手国であるアメリカでも、みられるようになった。民主党は、2019年8月、民主党綱領を発表し、「パリ協定における約束を守らない各国からの輸入品に対しては国境炭素税を課して、汚染者に対するアメリカの競争力が損なわれないようにする」と明記した。それを受けて、バイデン氏は、2019年9月に発表した選挙公約において、「温暖化対策が不十分な国からの輸入品には国境炭素税を課す」と明記した。バイデン大統領は、2021年6月15日、EUの首脳との会談において、国境炭素税について協議することで合意した。アメリカも、EUのあとを追うことになるものとみられるようになった。

　西ヨーロッパ諸国とアメリカは、いま、「2050年カーボンニュートラル」を「喫緊の人類的課題」として受け止めている。そして、その課題を解決するために、国境炭素税を活用しようとしているのである。このため、経団連と日本政府も、遅ればせながら、後を追い始めているわけである。

　国際社会は、すでに、「2050年カーボンニュートラル」に向かって確実に動き出しているのである。日本経団連の前掲『2050年カーボンニュートラルの実現に向けて』は、「産業革命以来の人類とエネルギーの関わりは根本の変革が不可欠である」、「経済社会全体の根底からの変革が不可欠であり、新しい経済社会の実現が必要となる」というのである。

　しかし、エネルギー文明のありかたを、どのように変えるのか。経済社会全体を、どのように根底から変革するのか。「新しい経済社会」というのは、どのようなものなのか。それを、どのように創出するのか。国際社会は、地球温暖化を止めながら、経済社会全体を発展させることができるのか。それらの疑問については、次の章で、「正解」を探ることにしよう。

第2章
化石燃料文明を再エネ文明に

　IPCC の『評価報告書』は、「人為的な CO_2 の排出量を実質ゼロにすれば、地球温暖化を止めることができる」と教えてくれた。「人為的な CO_2」の大部分は、石炭などの化石燃料の燃焼にともなって排出されてきた。だから、化石燃料の消費をゼロにすれば、地球温暖化を止めることができることになる。化石燃料文明を再エネ文明に変えれば、地球温暖化を止めることができるはずである。

　そのエネルギー文明の大転換は、いま、どこまできているのか。どのように進んでいるのか。再エネ革命を成功させれば、地球温暖化は止められる。しかし、その再エネ革命は、さらに加速させることができるのか。そもそも、この地球には、どのくらいの再エネ資源が存在しているのか。太陽光や風力は「自然の変動」を免れない。人類は、その変動性を、克服することができるのか。再エネ発電は、いまのところ、日本では「割高な電源」とされている。それを「割安な電源」にすることができるのか。日本は、はたして、「2050 年カーボンニュートラル」を実現できるのか。どのように実現するのか。

　この章では、以上のような疑問について、最新の資料を読み取りながら、「正解」を探してみることにする。

I．再エネ革命は始まっている

（1）薪炭文明から化石燃料文明へ

　人類が火を使うようになったのは、75万年前からともいわれている。エネルギー資源になったのは、植物起源の薪や炭であった。人類は、それ以後、薪炭文明のもとでくらすようになった。ところが、18世紀半ばになると石炭をエネルギー資源とするようになり、19世紀半ばになると石油をもエネルギー資源とするようになった。エネルギー文明は、薪炭文明から化石燃料文明へと、大転換をとげることになったのである。

　木炭製鉄は石炭製鉄に変わり、石炭を燃料とする蒸気機関が、機械制大工業を駆動するようになった。動力源である蒸気機関は、蒸気機関車

燃料別にみる世界の CO_2 排出量の推移

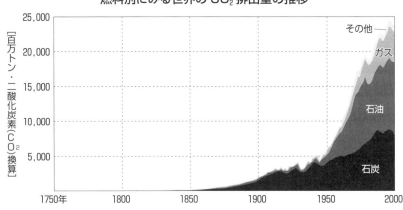

資料出所：オークリッジ国立研究所、「全国地球温暖化防止活動推進センター」HP より。

　世界の CO_2 排出量は、工業化が本格化するようになった1850年頃から、急増するようになった。燃料別に見ると、まずは「石炭」が急増するようになり、1950年頃からは「石油」、「天然ガス」も急増するようになった。このため、「脱化石燃料」は「脱石炭」から始まることになり、2017年には「脱石炭同盟」が発足することになった。

や蒸気船を駆動し、交通革命を誘発した。また、印刷機を駆動し、情報革命をも誘発した。そのような産業革命は、農業革命をも誘発し、これまでにない食料の大増産が実現した。アメリカ大陸も「ヨーロッパの穀倉地帯」になった。そのような産業革命は、イギリスで始まり、ヨーロッパ諸国、さらにはアメリカへと広がっていった。ついに、「化石燃料文明の時代」が、やってきたのである。

　イギリスの石炭生産量（年平均）は、産業革命直前の 1750 〜 1755 年は 423 万トンだったが、1846 〜 1850 年には 5097 万トンへと激増した。利潤第一主義の資本主義のシステムが確立し、石炭を大量に使うマンチェスターなどの工業都市では、大気汚染が深刻化するようになった。

　マルクスとエンゲルスは、1848 年、『共産党宣言』を発表した。そして、この「化石燃料文明への大転換」について、「ブルジョアジーは、その 100 年たらずの階級支配のあいだに、過去の全世代を合わせたよりもいっそう大量的で、いっそう巨大な諸生産力をつくりだした。自然力の征服、機械、工業や農業への化学の応用、汽船航海、鉄道、電信、数大陸全体の開墾、河川の運河化、地から湧いてでたような全住民群―――これほどの生産諸力が社会的労働の胎内に眠っていようとは、これまでのどの世紀が予想したであろうか？」（『マルクス＝エンゲルス 8 巻選集 2』大月書店　p 71）と論述していた。その「巨大な諸生産力」の原動力になったのは、ほかでもない、化石燃料の一つの石炭であった。

　そのようなエネルギー文明の大転換は、イギリスの人口動態をも激変させた。1750 年以前のイギリスでは、出生率と死亡率が 3％を超えていた。ところが、1750 年以降、死亡率が劇的に低下するようになり、19 世紀に入ると 2％近くまで低下した。人口動態は多産多死型から多産少死型に変わり、人口が急増するようになった。その背景になったのは、食生活と保健衛生の改善だけでなく、「基本的人権の保障」を求める民主主義運動の前進もあった。労働者は、工場立法をかちとり、長時間労働を禁止させた。新しく出現した「ルールある経済社会」は、人口動態

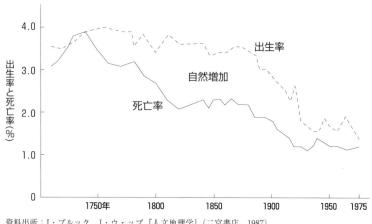

イギリスにおける人口動態の推移

資料出所：J・ブルック、J・ウェッブ『人文地理学』（二宮書店、1987）

　イギリスで産業革命が始まったのは 1760 年頃のことである。それ以前のイギリスの人口動態は多産多死型であり、出生率だけでなく、死亡率も 3% を超えていた。産業革命以降、まずは死亡率が急低下し、人口動態は多産少死型に変わることになった。人口の爆発的な増加が始まった。しかし、19 世紀末になると出生率も低下するようになり、人口動態は少産少死型に変わることになった。

の激変を促し、前代未聞の「人口爆発」を引き起こしたのである。
　19 世紀後半に入ると、エネルギー文明は、さらに変貌するようになった。流体燃料である石油が、資源化されるようになり、化石燃料の間の競合が始まった。石油は石炭よりも使い勝手がよく、内燃機関の開発によって、自動車や飛行機の燃料となり、交通革命をさらに進展させた。また、電気工学の発達にともなって、モーターが電車を駆動するようになり、電話の普及が情報革命を促すようになった。その電気の生産には、石炭についで、石油が大きな役割を果たすようになった。第 2 次世界大戦後になると、パイプライン輸送の普及によって、もう一つの流体燃料である天然ガスの開発も、急展開するようになった。そして、石炭、石油とともに、「化石燃料の三役」を務めるようになった。
　1 人当たりのエネルギー消費量は、いまから 5 千年前の薪炭文明の時

代は、約 1.2 万 Kcal/ 日だったとも推定されている。それが、化石燃料文明時代の 1875 年になると約 7.7 万 Kcal/ 日になり、さらに第 2 次世界大戦後の 1970 年には約 23.0 万 Kcal/ 日になったと推定されている。そのようなエネルギー消費を支えていたのは、1970 年当時は、石炭、石油、天然ガスなどの化石燃料だったのである。

　その石炭、石油、天然ガスは、2021 年になっても、世界の 1 次エネルギー消費量の 82.3% を占めていた。2 次エネルギーである電力の電源構成では、2021 年になっても、化石燃料による発電が 61.4% を占めていた。石油や天然ガスは、暖房の熱源としても、「健康で文化的な生活」を支えてくれた。化石燃料を熱源とする火力発電は、「照明のある明るい生活」をも支えてくれている。しかし、その化石燃料は、燃焼にともなって大量の CO_2 を排出した。そして、地球温暖化の元凶になることが、1990 年頃から明らかになってきた。「健康で文化的な生活」を維持しながら、化石燃料の消費を、ゼロにすることはできないか。化石燃料に代わる、CO_2 を排出しないエネルギーはないのか。人類は、化石燃料文明に代わる新しいエネルギー文明を、模索することになったのである。そしてついに、「生き残り」をかけて、再生可能エネルギーの資源化に取り組むことになったのである。

（2）主役は化石燃料から再エネへ

　私たちが利用できるエネルギーには、人間がつくりだした電気のような人工的なエネルギーだけでなく、「自然の恵み」である自然エネルギーがある。その自然エネルギーには、再生不能な石炭などの化石燃料だけでなく、再生可能な太陽光や風力、水力などもある。18 世紀半ばに始まった産業革命以降、水力は水力発電の原動力になってきたものの、再生可能エネルギーは、エネルギー構成に占める比率を低下させてきた。しかし、1990 年代以降になると、風力発電や太陽光発電が急展開するようになった。再生可能エネルギーは、再び、エネルギー資源の

主役になろうとしているのである。

　世界のエネルギー消費の構成（2022年）を調べてみると、依然として化石燃料の比率が高く、石油が31.6％、石炭が26.7％、天然ガスが23.5％を占めていた。しかし、水力を除く再生可能エネルギーが7.5％を占めるまでになり、6.7％を占める水力と合わせると、再生可能エネルギーが14.2％を占めるまでになっていた。

　再生可能エネルギーの躍進ぶりは、世界の電源構成を調べてみると、さらに鮮明になる。世界の電源構成（2021年）に占める再生可能エネルギーの比率は29.3％を占めるまでになり、原子力の9.2％を大きく上回るようになっていた。再エネ由来の発電容量は、2021年になると、増

世界の１次エネルギー消費量の推移

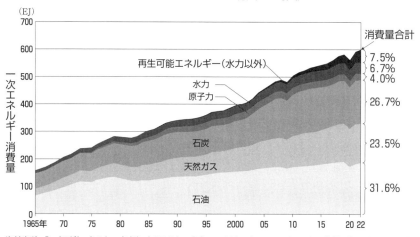

資料出所：「エネ百科　きみと、未来と。」HPより、出典：エナジーインスティチュート　世界エネルギー2023より
(注)　四捨五入の関係で合計値が合わない場合がある
　　　右のタテ軸の「％」は全体に占める割合
　　　1EJ（＝10^{18}J）は原油約2,580万klの熱量に相当（EJ：エクサジュール）

　石炭、石油、天然ガスなどは自然エネルギーであり、「１次エネルギー」と呼ばれている。それを加工した電気は「２次エネルギー」である。このグラフは1965年以降の１次エネルギーの消費量の推移を示したものである。１次エネルギーの消費量は、右肩上がりで増加している。その内訳をみると、2022年になっても化石燃料が81.8％を占めているが、再生可能エネルギーも急増中である。

設された世界の発電容量の81％を占めるまでになっていた。

　化石燃料文明から再エネ文明への大転換は、再エネ革命とも呼ばれている。その再エネ革命は、始まったばかりであり、まだ地域差が大きい。風力発電の先発国であるデンマークでは、風力発電が電源構成（2022年）の55％を占めている。ドイツ、イギリスやポルトガル、スペインなども、風力発電が、電源構成（2022年）の20％を超えている。それらの国々が先導する再エネ革命は、今後、どのように展開するのか。

　国際エネルギー機関（IEA）は、2021年5月18日、特別報告書『2050年までのネットゼロ：世界のエネルギー部門のロードマップ』を発表した。そして、「化石燃料に代わって、エネルギー部門は再生可能エネルギーが主役となる」、「2050年の総エネルギー供給量の3分の2が風力

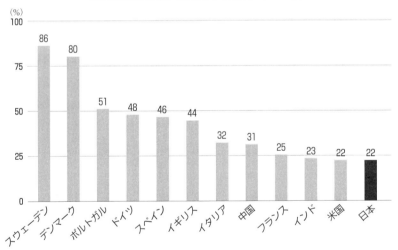

電源構成に占める再エネの比率（2022年）

資料出所：自然エネルギー財団「統計・国際エネルギー」

　再エネには、太陽光、風力、地熱のほかに、これまでも開発されてきたバイオマス、水力がある。その再エネが電源構成に占める比率は、スウェーデンとデンマークでは、すでに80％台に達している。ポルトガルからイギリスにかけての国々も、すでに50％前後になっている。化石燃料文明から再エネ文明への大転換は、地域差を残しながらも、ここまできているのである。

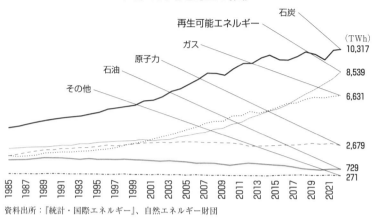

世界の発電電力量の推移

資料出所:『統計・国際エネルギー』、自然エネルギー財団

　縦軸の単位は「TWh」であり、1TWh は 1 兆 kWh になる。日本の 2021 年度の発電電力量は約 1 兆 kWh ＝約 1TWh であった。発電電力量の内訳（2021 年）を見ると、依然として石炭が首位を占めているが、急増する再生可能エネルギーが追いつき追い越そうとしている。それと対照的なのが原子力であり、2011 年以降は低迷を続けている。再生可能エネルギーは 2017 年に天然ガスを追い越した。

や太陽光、バイオエネルギー、地熱、水力由来となり、なかでも太陽光が最大のエネルギー源になる」などと報告した。国際エネルギー機関（IEA）は、第 1 次石油危機後の 1974 年、石油危機の回避を目的に成立された。このため、環境 NGO などからは、「化石燃料業界寄り」と批判されてきた。その国際エネルギー機関（IEA）が、ついに、「豹変」することになったのである。

（3）化石燃料発電ではなく再エネ発電を

　化石燃料文明は、近代以降、確かに「健康で文化的な生活」を向上させてきた。しかし、その一方で、大量の CO_2 を排出することによって、地球温暖化を促してきたのである。その CO_2 は、日本（2020 年度）を例にとると、どの部門が大量に排出しているのか。

　最大の排出部門は「エネルギー転換部門」であり、全排出量の 40.4％

CO_2 の部門別直接排出量 (2020年度)

非エネルギー起源CO_2
7.4%

産業部門
24.3%

エネルギー
転換部門
40.4%

運輸部門
17.0%

家庭部門
5.3%

業務その他部門
5.5%

資料出所：「2020年度温室効果ガス排出量概要」、
環境省

「エネルギー転換部門」、「産業部門」、「運輸部門」を合計すると81.7%になる。それらの部門が、化石燃料を燃焼させて、大量のCO_2を排出している。だから、CO_2排出量を減らすためには、何としてでも3部門のCO_2排出量を削減しなくてはならない。とはいえ、「家庭部門」も「エネルギー転換部門」が生産する電気を使い、それによってもCO_2を排出している。そのような「間接的な排出量」を含めると、家庭部門の比率は15.9%になる。

を占めていた。それに続くのが「産業部門」の24.3%、運輸部門の17.0%であり、上位3部門の排出量を合計すると81.7%になっていた。だから、日本のCO_2総排出量を削減するためには、まずは、それらの部門の脱炭素化を推進しなくてはならないことになる。

そこで、最大のCO_2排出源になっている「エネルギー転換部門」について、その内訳を調べてみることにする。「エネルギー転換部門」の主役は、石炭、天然ガス、石油などによる火力発電である。そのうちの石炭火力発電は、「エネルギー転換部門」のCO_2排出量（2017年）の56.9%を占めていた。それに続く天然ガス火力は33.9%、石油火力は9.1%を占めていた。地球温暖化を止めるためには、何としてでも、それらの火力発電を廃止していかなくてはならない。とはいえ、使い勝手のいい電気は、「健康で文化的な生活」には欠かすことはできない。そこでいま、太陽光や風力などをエネルギー資源とする再エネ発電への転換が、喫緊の課題になっているのである。

太陽光電池を主役とする太陽光発電は、1974年の第1次石油危機を

契機に開発が進み、1986年のチョルノービリ原発事故を契機に主力電源の一つになった。現在、太陽光発電の主流になっているのはシリコン系太陽光電池であり、石英などに含まれるケイ石を原材料としている。そのシリコンは半導体の一つであり、半導体産業の発展にともなって、生産コストが急低下してきた。それにパワーコンデショナーなどの付帯施設の技術革新と量産効果も加わって、太陽光発電の発電コストは、加速度的に低下してきた。経産省資源エネルギー庁の資料によると、2020年の発電コストは、事業用では 12.9 円 /kWh まで低下し、石炭火力の 12.5 円 /kWh と並ぶまでになった。

　しかし、シリコン系太陽電池は、重量が大きく、折り曲げることができないため、設置場所が限られている。そこで、近年、「ペロブスカイト」と呼ばれる結晶体を用いるペロブスカイト系太陽光電池が、シリコン系太陽光電池に代わって主力太陽光電池になるのではないのかと、期待を集めるようになっている。

　ペロブスカイトは、ダイヤモンドのような結晶構造をもつ化合物を素材として製造する。電池を塗布や印刷で作ることができるため、量産効果が大きく見込まれ、製造コストはシリコン系太陽光電池の1/3 〜 1/5程度になるともいわれている。また、曲げやゆがみに強く、重量も小さいため、耐荷重の大きくない建物の屋根などにも、容易に設置できる。建物の壁や自動車の車体でも、発電が可能になるとされている。ペロブスカイト太陽光発電は、まだ開発途上の発電システムではある。しかし、東京都は 2023 年 5 月、開発企業との共同研究において、下水道施設へのフイルム型ペロブスカイト太陽光電池の設置を完了し、すでに検証運転を開始している。

　ペロブスカイトは、レアメタルを不要とし、ヨウ素を主な原料とする。そのヨウ素に、日本は恵まれている。このため、ペロブスカイト系太陽電池は、エネルギーの供給安定性を強化するのではないかとも、期待されている。

　風力発電は、風の力を利用してブレードと呼ばれる羽根をつけた風車を回転させ、風車の回転運動エネルギーを発電機によって電気エネルギーに変換する発電方式である。その仕組みはきわめて単純だが、コンピューター技術の導入やシステムの大型化などにともなって、発電コストが急低下してきている。また、風力発電の立地点も陸上から洋上へと広がり、洋上風力発電も浅海底に立地する着床式風力発電だけでなく、海面に浮かぶ浮体式風力発電へと広がっている。

　風力発電の発祥地はデンマークであり、チョルノービリ原発事故を契機に、自国の資源に依存する発電として急展開するようになった。その後、風力発電は隣国のドイツに波及し、北海を越えてイギリスにも波及するようになった。その結果、電力構成に占める風力発電の比率（2021年）は、デンマークでは41％、ドイツでは21％、イギリスでは20％を占めるまでになっている。北海の大陸棚に浮かぶ島国のイギリスは、着床式の洋上風力発電で、ヨーロッパをリードしている。

　日本海と太平洋に囲まれた島国の日本も、世界有数の洋上風力発電国になる可能性を秘めている。秋田県の秋田港と能代港の沖合では、現在、33基の洋上風力発電機が稼働している。その風力発電機の羽根（ブレード）の最高地点は、40階建ての超高層ビルに匹敵する150mにもなる。今後、さらに103基の洋上風力発電が建設されることになっており、その発電規模は、100万KW級の原発1基分に相当するといわれている。

　太陽光発電は、太陽光を、電力資源に転化させた。風力発電は、風力を、電力資源に転化させた。1973年の第1次石油危機以後の技術革新は、これまで「単なる自然」に過ぎなかった太陽光や風力などを、またたくまにエネルギー資源に転化させたのである。再エネ発電は、まだ発展途上にあり、大きな潜在力を残している。「化石燃料業界より」とみられてきた国際エネルギー機関（IEA）は、前掲『特別報告書』の中で、「安価な再生可能エネルギー技術により、2050年には電力部門のCO_2排出量はゼロになる」と報告した。「エネルギー転換部門」では、

2050年には、「再エネ発電の時代」がやってくるというのである。

（4）重厚長大産業でも脱炭素化を

日本のCO_2排出量（2020年度）の24.3％を占める産業部門も、CO_2排出量の急速な削減を求められている。そのなかでも、産業部門のCO_2排出量（2019年度速報）の40％を占める鉄鋼業の責任は、きわめて重大である。

鉄鋼業は、鉄鉱石から銑鉄を製造し、それを鋼鉄に加工する製造業である。その工程の中で、最も多くのCO_2を排出するのは、銑鉄を製造する製銑工程である。この工程は、高炉と呼ばれる溶鉱炉の中に鉄鉱石とコークスを混合して投入し、高温状態にして鉄鉱石に含まれている酸素と炭素を取り除き、溶解した銑鉄を取り出す工程である。その高炉法の工程では、どうしても、大量のCO_2が発生する。

そこで、コークスのかわりに水素を使う「水素還元製鉄法」が、模索されることになった。ヨーロッパ最大の鉄鋼企業であるアルセロール・ミルタは、水素還元実証プラントをドイツのハンブルクに建設し、2025年までに操業を開始することにしている。ただし、水素還元製鉄が脱炭素製鉄になるためには、水素が脱炭素の「グリーン水素」であることが求められている。

高炉法は、現在、日本の銑鉄生産の3/4を占めている。しかし、鉄スクラップを原料とする電炉法もあり、鉄スクラップが大量に発生するアメリカでは製鋼の主流になっている。電炉法は、アーク放電を発生させ、その放電熱で原料を融解して不純物を取り除く製法であり、「脱炭素の製鋼法」になりうる。日本でも、スチール缶のリサイクル率は、約90％に達している。電炉法は、循環型経済をさらに前進させれば、「製鋼の主流」にすることが可能になるはずである。ただし、電炉法が脱炭素製鋼になるためには、電気が再エネ由来であることが求められる。

日本鉄鋼連盟は、2021年2月15日、『我が国の2050年カーボンニュー

トラルに関する日本鉄鋼業の基本方針』を発表した。そして、その中で、「我が国の 2050 年カーボンニュートラルという野心的な方針に賛同し、これに貢献すべく、日本鉄鋼業としてもゼロカーボン・スチールの実現に向けて、果敢に挑戦する」と決意表明した。しかし、「ゼロカーボン・スチールの実現は、一直線で実用化に至ることが見通せない極めてハードルの高い挑戦である」と続け、「技術開発の成果を実用化・実装化するための財政的支援」などを政府に求めている。

　高層ビルの骨格になるのは鉄筋とコンクリートである。そのコンクリートは、セメントに砂利や砕石などを混ぜて、製造されている。コンクリートはダムや堤防、道路などにも使われている。セメントは鉄と並んで、現代社会の「骨格」を形成している。ところが、そのセメントは現在、製造工程で大量の CO_2 を排出しているのである。

　セメントは、石灰石や粘土などを高温で焼成し、それに石膏を加えて生産されている。その生産過程で、石灰石から、CO_2 が排出される。また、高温での焼却をおこなうため、熱源からも CO_2 が排出される。

　そこで、生産過程で排出される CO_2 を回収して、それを原料として利用する生産技術が模索されている。廃棄されたコンクリートなどからカルシウムを取り出し、それにセメント製造工程で排出される CO_2 を付着させて「炭酸塩」とすることで、「人工石灰石」を生成しようというのである。セメント業界は、この「カーボンリサイクルセメント」の技術については、2030 年頃までに実用化できるようにしたいという。

　「2050 年カーボンニュートラル」の実現に向けて、CO_2 を吸収する「環境配慮型コンクリート」の活用法も広がっている。大手ゼネコンの鹿島は、化学工場で発生する消石灰をセメント代替として使い、大量の CO_2 を吸収させることに成功した。それによって、CO_2 の排出量を「実質ゼロ以下」とする「カーボンマイナス」の製品を 2011 年に開発し、すでに土木工事や住宅建設に提供しているという。

　セメント産業では、製造工程での脱炭素化は、実用化段階に向かいつ

つある。しかし、セメント協会は、製造工程で使うエネルギーについては、「徹底した省エネ」、「バイオマス廃棄物等の活用」、「水素・アンモニア・合成メタンの活用」をあげている段階にある。セメント産業は、製造工程で、大量の電気を使う。だから、使う電気を再エネ由来にしないと、「脱炭素のセメント産業」にはなれない。

（5）自動車と航空機でも脱炭素化を

　運輸部門は部門別 CO_2 排出量（2020 年度）の17.0％を占めていた。それを輸送機関別統計（2020 年）でみると、「自家用自動車」と「貨物自動車」が全体の 85％を占めていた。それらの自動車がエンジンで動き、化石燃料であるガソリンを使っているためである。だから、自動車の脱化石燃料化が、喫緊の課題になっているのである。

　その課題を解決するためには、何を、どうすればいいのか。石油でエンジンを駆動するエンジン車をなくして、電気でモーターを駆動する電気自動車（EV）に変えればいいのである。その電気自動車（EV）には、電気の入手の仕方によって、外部からの電力を蓄電池に充電する「二次電池式電気自動車」と水素を電気に変える燃料電池を搭載する「自ら発電する燃料電池車」がある。それらの EV は、エネルギー源になる電気と水素を再エネ由来にすれば、「カーボンニュートラルの自動車」になるわけである。

　とはいえ、20 世紀中は、EV の普及は足踏み状態を続けていた。蓄電池の性能と価格に問題があったためである。ところが、21 世紀に入ると、高性能のリチウムイオン電池の商品化が進むようになり、蓄電池を搭載する EV が、「身近な移動手段」へと変わるようになった。「CO_2 を排出するエンジン車」を廃棄して、「カーボンニュートラルの EV」に乗り換えることが可能になったのである。ブルームバーグ・ニュー・エナジー・ファイナンス（BNEF）の調査によると、「2025 年には欧米での EV 購入価格がガソリン車より安くなる」とのことである。そのこと

もあって、先進国の間には、ガソリン車やディーゼル車の新車販売を禁止する国が増えている。

EVの先発国であるノルウェーは、2016年、「2025年にはガソリン車・ディーゼル車の新車販売を禁止する」と決めた。そのこともあって、2021年には、EVが64.5%を占めていた。それに続いて、スウェーデン、オランダ、イギリス、アイルランドなども、2030年までにはガソリン車・ディーゼル車の新車販売を禁止することにした。

日本も、そのような動きの圏外に、いつまでもとどまっていられなくなった。管義偉首相は、2021年1月18日、国会の施政方針演説の中で、「2035年までに新車販売で、電動車100%を実現する」と表明した。しかし、「電動車」には、ガソリンを使うハイブリッド車も含まれていた。EUの委員会は、2021年7月14日、「域内の新車供給を温室効果ガスを排出しない自動車に限定する」という政策文書を発表した。温室効果ガスを排出するハイブリッド車は、当然のことながら、「EU域内の新車供給」から排除されることになる。イギリスも、ハイブリッド車の新車販売を、2035年には禁止することにしている。

日本自動車工業界は、2021年9月16日、『2050年カーボンニュートラルに向けた自動車業界の課題と取り組み』を発表した。そこには、「2050年カーボンニュートラルは、画期的な技術ブレークスルーなしには達成が見通せない大変難しいチャレンジであり、安価で安定したCN（脱炭素）電力の供給が大前提であるとともに、政策的・財政的措置等の支援が必要」としたうえで、「競争力ある再エネ普及計画の明確化、安価な再エネや水素の安定供給、充電・充填インフラの整備推進」などを求めている。しかし、ヨーロッパ諸国でけなく、アメリカや中国の自動車業界も、「大変難しいチャレンジ」を真っ向から受け止めながら、「EVの時代」を急速に切りひらきつつある。ハイブリッド車で世界をリードしていた日本の自動車業界は、そのような大変革に前向きに立ち向かおうとはせず、EVが主流となる国際市場の圏外に押し出され

ようとしているのである。

　岸田文雄首相は、2021 年 11 月に開催された COP26 において、「電気自動車普及への支援」を宣言した。しかし、2022 年 6 月 7 日に閣議決定した『新しい資本主義のグランドデザイン及び実行計画』では、「いわゆる電動自動車（電気自動車及びハイブリッド車）」と後退し、ハイブリッド車を支援し続けることを約束した。そのような「変身」について、「しんぶん赤旗日曜版（2022 年 7 月 31 日）」は、「最大のスポンサーであるトヨタの圧力」を指摘していた。トヨタなどの日本の自動車企業は、これまで、「火力発電に由来する電気を使う電気自動車はエコカーとはいえない。電気自動車への急転換は一種の偽善でしかない」と批判しながら、ガソリンを使うハイブリッド車に固執してきた。しかし、ヨーロッパなどの自動車企業は、急展開する電気の再エネ化を踏まえて、「電気自動車の時代」を先取りしようとしているのである。

　運輸部門における CO_2 排出量の 2.8％を占める航空部門も模索を続けている。国際航空運送協会は、2021 年 10 月 4 日の年次総会で、「2050 年までに航空機からの CO_2 排出量を 2005 年比で 50％削減する」という目標を採択した。当面は、バイオ燃料に切り換えて、CO_2 排出量を削減することにしている。しかし、バイオ燃料は、コストが高く、安定的な確保が難しい。また、削減できる CO_2 排出量も、「石油由来の燃料の約 8 割」と限定的である。そこで、再エネ由来の水素や電気を使う航空機の実用化が、ヨーロッパの大手航空機メーカーなどによって、模索されることになった。

　ヨーロッパの大手航空・宇宙メーカーのエアバス社は、2022 年 11 月 30 日、2035 年までに就航予定の「ゼロエミッション航空機」の開発計画を発表した。この航空機は、ガスタービンによる水素の燃焼と燃料電池を使って水素を電気に変えることによってプロペラを駆動する、ハイブリッド推進システムを採用することにしている。この電動航空機は、「ゼロエミッション航空機」になるためには、原動力になる水素が再エ

ネ由来の「グリーン水素」であることが求められる。イギリスのロールス・ロイス社が開発している航空機は、搭載する蓄電池の電気で電動モーターを駆動する電動航空機である。だから、この電動航空機の場合も、原動力になる電気が再エネ由来であることが求められる。

（6）家庭部門でも脱炭素化を進める

　CO_2 排出量は、発電時の排出量をどうするかによって、直接排出量と間接排出量に分けられている。前者は発電時の排出量を発電側の排出量とするものである。後者は発電時の排出量を需要側の排出量とするものである。だから、家庭部門の CO_2 排出量（2020 年度）は、直接排出量だと 5.3 ％になるが、間接排出量だと 15.9 ％になる。「2050 年カーボンニュートラル」を達成するためには、この家庭部門の排出量についても、その大幅な削減が必要不可欠になる。それでは、家庭からの CO_2 排出量（2020 年度）の燃料種別の内訳は、どうなっているのか。

　家庭部門における燃料種別 CO_2 排出量（2020 年度）の半分近くを占めるのは、「電気から」であり、47.6 ％に達している。それに続くのが「ガソリンから」であり、21.6 ％を占めている。また、「都市ガスから」、「灯油から」、「LPG から」を合計すると、24.0 ％になる。

　「電気から」というのは、家庭で使用する照明、冷暖房、調理などによる排出であり、その CO_2 排出量は、使用する電気を再エネ由来にすればゼロにすることができる。そのように考えて、日本の政府も、「ZEH（ネット・ゼロ・エネルギー・ハウス）」を推奨している。この ZEH というのは、「外皮（壁・窓・屋根）の断熱性能等を大幅に向上させるとともに、高効率な設備システムの導入により、室内環境の質を維持しつつ大幅な省エネルギーを実現した上で、再生可能エネルギーを導入することにより、年間の１次エネルギー消費の収支をゼロにすることを目指す住宅」と定義されており、太陽光を電気に変える「屋根上の発電所」が主役になろうとしいる。この ZEH は、太陽光発電の発電時

は、発電した電力を自宅で消費し、発電した電力の余剰分は電力会社に売電している。発電できない夜間等は、電力会社から買電している。また、家庭用蓄電池を設置している場合は、余剰分を蓄電し、それを夜間等で消費している。このような ZEH は、戸建て住宅の主流になりつつあり、ZEH の普及率が90％を超えている住宅メーカーも現れている。

　「ガソリンから」というのはガソリン車が排出する CO_2 である。そのガソリン車を再エネ由来の電気を使う電気自動車（EV）に変えれば、CO_2 の排出量をゼロにすることができる。EV の蓄電池は、太陽光発電の余剰電力を蓄電することもできる。その電力が余れば、電力会社に売電することができる。ZEH の所有者が EV を所有するようになると、その EV は、送電網を通じて電力会社と電力を融通し合えるようになる。EV のコストを左右する電池のコストは急低下している。このため、近い将来、EV のコストがガソリン車を下回るようになると予想されている。そうなると、ガソリン車から EV への転換が一気に進むようになり、自家用車の蓄電池が、電力需給の安定化に大きく貢献するようになるとみられている。

（7）電気と水素は再エネ由来にする

　エネルギー転換部門では、石炭火力、天然ガス火力に代わって、太陽光発電と風力発電が、電力供給の主役になろうとしている。鉄鋼業とセメント業の製造過程では、再エネ由来の電気だけでなく、再エネ由来の水素が主要なエネルギー源になろうとしている。運輸部門では、自動車だけでなく航空機も、再エネ由来の電気と水素を主要なエネルギー源とする時代を迎えつつある。家庭部門でも、再エネ由来の電気と水素が主要なエネルギー源になりつつあり、電気自動車（EV）の蓄電池も大きな役割を果たそうとしている。化石燃料文明は終末を迎えつつあり、現代世界は、「再エネ由来の電気と水素の時代」、再エネ文明に向かって動き出している。化石燃料関連の資産は、膨大な資源を地下に残しなが

ら、資産的な価値をもたない「座礁資産」になろうとしているのである。

「再エネ由来の電気と水素の時代」を世界に先駆けて切り開こうとしているドイツでは、すでに、電源構成に占める再エネの比率（2023年上半期）が50.6％を占めるまでになっている。その内訳を調べてみると、風力が26.2％、太陽光が12.4％を占めている。そのドイツは、2020年6月に「国家水素戦略」を策定し、「グリーン水素（再エネ由来の水素）」をカーボンニュートラルの「中核」として位置づけた。

私たちが使うエネルギーには、再生可能エネルギー、化石燃料、原子力などの1次エネルギーと、それを変換・加工した電気などの2次エネルギーがある。その2次エネルギーの一つとして、このところ、水素が注目を集めるようになっている。

水素（H）は、宇宙で最も豊富に存在する元素であり、地球上でも豊富に存在する元素の一つである。しかし、燃料となる水素分子（H_2）は、大部分が気体としてではなく、水（H_2O）として存在している。

その水を再エネ由来の電気で分解すれば、CO_2 を排出しない「グリーン水素」をつくりだすことができるようになる。そのグリーン水素は、燃料電池を使うと、再び電気に変換・加工することができる。電気と水素は、水を媒介して、互換性を共有している。再エネ由来の電気と水素は、その互換性を生かしながら、カーボンニュートラルの中核的なエネルギー基盤になろうとしているのである。

再エネ由来の電気は、蓄電池に貯めることができる。それだけでなく、水素に変換すれば、貯蔵することができるようになる。そうすると、自然の変動に左右される再エネ由来の電気も、供給安定性を、さらに強化することができるようになるはずである。とはいえ、日本では、まだ水素は「割高な燃料」である。日本の政府は、2017年12月、世界に先駆けて『水素基本戦略』を閣議決定した。そして、その中で、「水素の供給コストを化石燃料と同等水準まで低減する」という目標を掲げた。しかし、そのためには、水素を製造する再エネ発電のコストを大幅

に下げなくてはならない。はたして、再エネ発電のコストを、大幅に下げることができるのか。また、化石燃料由来の発電を廃止して、再エネ由来の電力で水素を製造しようとすると、再エネ由来の発電量を大幅に増やさなくてはならなくなる。実現できるのか。

　日本政府の『水素基本戦略』は、「水素を日常の生活や産業活動で利活用する社会、すなわち "水素社会" の実現には、水素の調達・供給コストの低減が不可欠である」としたうえで、「水素コストの低減に向けた方策としては、海外の安価な未利用エネルギーと CCS を組み合わせる、また安価な再生可能エネルギーから水素を大量調達するアプローチが有望であり、これを基本とする」と続けている。ここでは、「海外の安価な未利用エネルギー（オーストラリア産の褐炭等）と CCS（二酸化炭素回収・貯留技術）の組み合わせ」が、「安価な再生可能エネルギーからの水素」よりも先に書かれている。ところが、頼みの綱にしている「CCS」については、日本ではまだ研究・開発段階にある。化石燃料由来の水素は、CCS が実用化されないと、CO_2 を排出する「グレー水素」になる。それでも、その「グレー水素」に依存しながら、「水素社会」を実現しようというのである。

　ドイツの国家水素戦略は、「水素は 2050 年カーボンニュートラルの中心的な役割を果たす」としたうえで、「再エネ由来のグリーン水素だけが持続可能である」として、水電解装置の飛躍的な強化をめざすことにした。そして、再エネ発電のさらなるコスト低減をめざし、グリーン水素の利用拡大を進めようとしている。そのような動きは EU 全体に広がり、EU も、2020 年 7 月には「再エネ由来の水素を最優先する」という水素戦略を策定した。EU は、「再エネ由来の電気と水素の時代」を先導しつつあるが、その「中核」には再エネ発電を据えているのである。

　「2050 年カーボンニュートラル」を確かなものにするためには、何としてでも、「再エネ由来の電気と水素の時代」を切り開いていかなくてはならない。しかし、その水素は、再エネ由来の「グリーン水素」にな

るのか。化石燃料由来の「グレー水素（化石燃料から抽出される水素）」、「ブルー水素（グレー水素から CO_2 を除去した水素）」になるのか。避けて通れない、さしせまった争点になっている。もう一つの争点になっているのが、再エネ電気よりコストが高く、エネルギーロスの大きな「貴重な水素」を、どの分野で優先的に活用するかである。

　環境 NGO の自然エネルギー財団は、2022 年 9 月、『日本の水素戦略の再検討～「水素社会」の幻想を超えて』という報告書を発表した。水素は確かに、気体や液体として、貯蔵することができる。しかし、再エネ電気を使って製造する水素は、再エネ電気とくらべると、どうしても割高になる。「水素が使える多くの用途には、水素よりも安価で使いやすい、エネルギー効率的な、そしてもちろん脱炭素の別のオプションがある」（p 2）というのである。「別のオプション」というのは、もちろん、再エネ電気のことである。「何でも水素」という幻想を超えなくてはならないというのである。さらに深めたいテーマである。

Ⅱ．再エネ革命は前進できる

（1）地球は再エネ資源の宝庫である

　世界の人々が「健康で文化的な生活」を営むためには、それを支える再生可能エネルギーが必要不可欠である。地球は、その求めに、どこまでこたえてくれるのか。

　人類が利用できる再生可能エネルギーには、太陽から送られてくる太陽エネルギーと地球の内部から送られてくる地熱エネルギーがある。そのうちの太陽エネルギーについて、文明評論家のジェレミー・リフキン氏は、『グローバル・グリーン・ニューディール』（NHK 出版）の中で、「太陽から地球へは、88 分ごとに 470 エクサジュールのエネルギーが降り注いでいる。これは人類が 1 年間に使うエネルギーに相当する。もし

地球に到達する太陽エネルギーの0.1％をとらえられれば、現在地球全体の経済が使っているエネルギーの6倍が得られることになる」（p 69）と記述している。1エクサジュールは原油2580万kL分の熱量に相当する。2021年の世界の原油産出量は約52.2億kLであった。だから、太陽からは、ほぼ38分間だけで、世界の年間原油生産量に匹敵するエネルギーが降り注いでいることになる。また、「サハラ砂漠のわずか1.2％、11.2万㎢で発電するだけで、世界の電力需要をまかなえる」という試算もある。

　しかし、その太陽エネルギーも、そのままでは「単なる自然」にとどまり、エネルギー資源にはならない。太陽光や太陽熱を電気に変えることによって、はじめて、「使い勝手のいいエネルギー資源」になるのである。そのような太陽エネルギーの資源化が、いま、「グローバルサウス」の各地でも進められている。

　国土の95％がサハラ砂漠にひろがるエジプトは、国際再生可能エネルギー機関（IRENA）から、「世界で最も太陽光資源に恵まれた国の一つ」と評価されている。この国はいま、その再生可能エネルギーを電気に変換して、「2035年の発電に占める再生可能エネルギーの比率を42％（太陽光＝22％　風力＝14％）に引き上げる」という目標を掲げている。エジプトでは、かつては、大規模な停電が頻発していた。それが太陽光発電と風力発電の急展開で一変し、いまでは、海底ケーブルを敷設して余剰電力をヨーロッパへ輸出しようとする国に生まれ変わろうとしているのである。太陽光は、これまでも、豊富に降り注いでいた。しかし、かつては、その太陽光はエネルギー資源にはなっていなかった。エジプト政府は、大規模停電直後の2014年、再生可能エネルギー法を制定し、固定価格買取制度を導入した。その結果、この国でも、太陽光発電は「魅力的な投資先」になった。「単なる自然」にすぎなかった太陽光が、にわかに、エネルギー資源としての価値をもつようになったのである。エジプトはCOP27（2022年）の開催国になった

　エジプトでの再エネの資源化では、固定価格買取制度が大きな役割を果たしたが、その固定価格買取制度は、西ヨーロッパ諸国で生まれたものである。エジプトの紅海沿岸に建設された風力発電所も、西ヨーロッパ諸国で生まれた技術を生かしたものである。その西ヨーロッパでは、2021年現在、デンマーク、ポルトガル、スペイン、ドイツ、イギリスなどが、電源構成に占める風力発電の比率を20％以上にしている。

　西ヨーロッパ諸国における風力発電は、国土が低平なため水力資源に恵まれないデンマークで始まった。そのデンマークでは、1970年代の再度にわたる石油危機をきっかけに、1976年から地域住民が主体となって、風力発電所の建設が進められるようになった。

　その影響は隣接するドイツ北部の住民の間に広がり、ドイツでは、住民の要求を受けて、1991年には風力発電を支援する固定価格買取制度が導入された。その結果、風力発電事業は「魅力的な投資先」になり、ドイツは、2000年には世界最大の風力発電国になった。

　その影響は、2000年代に入ると、北海に浮かぶ島国イギリスにも波及するようになった。イギリスの沿岸には、大陸棚が広がっている。この国の電力事業者は、その大陸棚に着床式の洋上風力発電所を建設し、イギリスを「世界最大の洋上風力発電国」に押し上げた。しかし、着床式風力発電に適した浅瀬は限られているため、電力事業者は、洋上に風車を浮かべる浮体式の風力発電所の建設にとりかかるようになった。

　イギリスのジョンソン首相は、2020年11月17日、「グリーン産業革命計画」を発表し、「イギリスを風力発電のサウジアラビア（世界最大の石油資源保有国）にする」と意気込んだ。イギリス政府は、2022年4月7日、「2030年までに、洋上風力発電所の出力を、50GWも増加させる」という目標を発表した。標準的な原発1基分の出力は100万kW＝1GWである。標準的な原発50基分の出力をもつ洋上風力発電所を、これから建設するというのである。

　世界に広がる風力発電は、これまで「単なる自然」にすぎなかった風

力を、エネルギー資源に転化させつつある。それだけでなく、さらなる技術革新に伴って、風力発電の資源量も急増している。風力は、上空へいくほど、強くなる。洋上風力発電所の高さは、2010年は90m、2013年は174mになった。それが、2030年には、230～250mになると想定されている。そうだとすると、それだけ、風力発電の資源量が増えることになる。

　太平洋と日本海に面する日本列島も、豊かな風力エネルギーに恵まれている。政府と民間企業がつくる協議会は、2020年12月、「洋上風力発電の2040年導入目標を3000～4000万kWにする」という合意事項を発表した。「出力100万kW級の原発30～45基分の出力をもつ洋上風力発電所を、2040年までに建設する」というのである。

（2）日本も再エネ資源の大国になる

　日本は、化石燃料資源にめぐまれず、その大部分を輸入にたよっており、エネルギー自給率（2021年）は13%にとどまっていた。このため、石油や天然ガスなどの鉱物性資源の2022年度の輸入額は35兆円を超え、日本の貿易収支の赤字額は21兆円を超えた。しかし、日本列島には、膨大な再エネ資源が存在しているのである。

　環境省が2022年4月に発表した『我が国の再生可能エネルギー導入ポテンシャル』は、再生可能エネルギーの導入可能性を、「導入ポテンシャル」と「事業性を考慮した導入ポテンシャル」に分けて示している。「ポテンシャル」というのは、「潜在力」のことである。そのうちの「導入ポテンシャル」というのは、「現在の技術水準で利用可能なエネルギーのうち、種々の制約要因（法規制、土地利用等）を除いたもの」とのことである。「事業性を考慮した導入ポテンシャル」というのは、「経済的観点から見て導入可能性が低いと認められたエリアを除いたもの」とのことである。それによると、「事業性を考慮しない再生可能エネルギーの導入ポテンシャル」は、7兆5225kWh/年になるという。「事業

日本における再エネの導入ポテンシャル

再エネ種	区分	導入ポテンシャル		事業性を考慮した導入ポテンシャル（シナリオ 1（低位）～シナリオ 3（高位））	
		設備容量（万 kW）	発電量（億 kWh/ 年）	設備容量（万 kW）	発電量（億 kWh/ 年）
太陽光	住宅用等	20,978	2,527	3,815 ～ 11,160	471 ～ 1,373
	公共系等	253,617	29,689	17 ～ 29,462	2 ～ 3,668
	計	274,595	32,216	3,832 ～ 40,622	473 ～ 5,041
陸上風力		28,456	6,859	11,829 ～ 16,259	3,509 ～ 4,539
洋上風力		112,022	34,607	17,785 ～ 46,025	6,168 ～ 15,584
中小水力		890	537	321 ～ 412	174 ～ 226
地熱		1,439	1,006	900 ～ 1,137	630 ～ 796
合計		417,402	75,225	34,667 ～ 104,455	10,954 ～ 26,186

資料出所：『我が国の再生可能エネルギー導入ポテンシャル』、環境省

> 　「ポテンシャル」は、直訳すると「潜在力」となり、「存在量」といいかえることができる。その存在量には、現在の技術水準を前提とした「導入ポテンシャル」と、さらに経済性をも考慮した「事業性を考慮した導入ポテンシャル」がある。日本の近年の設備容量は約3億kW，発電電力量は約1兆kWhである。日本の再エネの資源量は、経済性を考慮しても、その何倍になるか計算してみよう。

性を考慮した再生可能エネルギーの導入ポテンシャル」は、1兆0954万kWh/ 年～2兆6186万kWh/ 年になるという。2020年の日本の発電量は約1兆kWh/ 年であった。ということは、事業性を考慮したとしても、再生可能エネルギーだけでも、現在の日本の発電量（2020年度）の1.1～2.6倍の発電が可能だということになる。「事業性」は、社会的な諸条件を整えることができれば、大きく変えることができるようになる。その可能性をぎりぎりまで追求することにした「導入ポテンシャル」は、現在の日本の発電量（2020年度）の約7.5倍にもなるというのである。

　環境省が発表した前掲『我が国の再生可能エネルギー導入ポテンシャル』は、「太陽光・陸上風力導入ポテンシャルの推計結果（2019年度調査）」も掲載している。それによると、太陽光発電の導入ポテンシャル

は、住宅用と公共施設系を合わせると、その設備容量は 27 億 4595 万 kW になるという。山がちな日本では、陸上風力発電の適地はかぎられているが、その導入ポテンシャルも 2 億 8456 万 kW になるという。島国日本では、洋上風力発電の潜在力がきわめて大きく、その導入ポテンシャルは 11 億 2022 万 kW になるという。その洋上風力発電は、「事業性を考慮した導入ポテンシャル」でも大きく、その設備容量は 1 億 7785 万 kW ～ 4 億 6025 万 kW になるという。標準的な原発の設備容量は 100 万 kW である。太陽光発電の潜在力は、その 2746 倍になるという。洋上風力発電の潜在力は、事業性を考慮しても、その 178 ～ 460 倍になるという。

　日本列島は、山がちであり、降水量も非常に多い。このため、前掲『我が国の再生可能エネルギー導入ポテンシャル』によると、ダム建設を前提としない中小水力に限っても、水力資源の導入ポテンシャルは、100 万 kW 級の原発 3 ～ 4 基分はあるという。世界有数の火山国である日本は、地熱資源にも恵まれている。「世界第 3 位」といわれる地熱資源の導入ポテンシャルも、100 万 kW 級の原発の 9 ～ 11 基分はあるという。それらの再エネ資源も、環境保全に万全を期せば、「2050 年カーボンニュートラル」に、大きく貢献できるはずである。

（３）再エネの自然変動は克服できる

　国際社会は、「2050 年カーボンニュートラル」をめざして、動き出している。その先頭を走るドイツは、すでに、「2030 年までに電力消費の80 ％以上を再エネ由来の電力にする」という目標を掲げている。しかし、主力になる風力発電は、風の強さ次第で、出力が大きく変動する。躍進がめざましい太陽光発電は、夜間は発電できず、雨天・曇天になると出力が低下する。風力発電と太陽光発電は、「自然まかせの発電」であり、自然変動電源なのである。ドイツは、その変動性を、どのように克服しようとしているのか。

　確かに、太陽光発電は、夜間になると出力がゼロになる。しかし、そのことは、あらかじめ確実に予測できる。そこで、夜間になっても発電できる風力発電によって、不足分を補うことにしている。風力と太陽光は短時間での変動は大きいが、気象学的知見と気象データの蓄積を踏まえて、ドイツでは、気象予測を活用する中央給電司令所が発電量をコントロールしている。短時間の風力と太陽光の分布には、地域的・時間的なアンバランスがある。しかし、風力発電と太陽光発電を広域化・多数化すれば、その出力をかなりの程度まで平準化することができるようになる。とはいえ、再エネ発電の変動性は、それだけでは克服できない。そこで、余剰電力を備蓄するため、電力系統用蓄電池と電気を水素に変える水電解装置の整備を進めようとしている。ドイツ政府は、そのことをも視野に入れて、2020年6月に「国家水素戦略」を発表したのである。

　それだけではない。ドイツの国内には4つの大手送電会社があり、それぞれが担当地域内の給電指令をおこなっているが、系統運用はドイツ全体を対象としているため、再エネ由来発電の変動性はいちじるしく平準化されている。さらに、ドイツの電力網は、ヨーロッパ諸国の電力網と日常的に連携し、過不足分を融通し合っている。

　ドイツは、中央ヨーロッパ諸国をカバーする「電力輸送調整連盟（UCTE）」に加盟し、加盟国と国境を超えた電力取引を日常的におこなっている。その電力輸送調整連盟は、北ヨーロッパ地域、東ヨーロッパ地域の電力輸送調整連盟とも連携し、合計34ヵ国で構成される「ヨーロッパ送電事業者連盟（ENTSO－E）」に加盟している。

　ドイツとノルウェーは、2015年2月、「海底直流送電線建設契約」に調印した。ノルウェーは、「フィヨルドの国」として知られ、フィヨルドに注ぎ込む河川には揚水式発電所が建設されている。両国は北海に海底ケーブルを敷設して、その揚水式発電所に、ドイツの余剰電力を蓄えることにしたのである。

　ヨーロッパの国際送電網は、ヨーロッパ大陸系統、北ヨーロッパ系

統、イギリス系統、バルト系統に分かれているが、すでに相互に電力を融通し合っている。ヨーロッパ大陸系統とイギリス系統は、1980年に海底ケーブルが敷設され、すでに電力を融通し合っている。ヨーロッパの国際送電網は、すでに、大陸規模で一体化しているのである。

　その一方、アジア大陸の東縁に位置する島国日本では、アジア諸国との電力の融通はまったくおこなわれていない。それどころか、日本国内での電力の融通すら、不十分なままである。日本の送電網は、電力会社の供給エリアごとに整備されてきたため、東日本と西日本では電気の周波数が異なったままになっている。日本では、風力資源は北海道と東北地方に、太陽光資源は九州に偏在している。それらの再エネ資源を大規模に開発し、その自然変動性を克服するためには、供給エリアを超えた広域送電網の整備が必要になる。どうするか。

　経産省資源エネルギー庁は、「スペシャルコンテンツ（2023年3月22日）」欄に「GXに向けた日本のエネルギー政策」を掲載し、「再エネの導入を拡大するために、2030年度をめどに、全国規模で電力系統の整備を進めます」と記述し、「電力系統の整備案」を掲載している。その中には、「北海道〜東北〜東京 = 600 〜 800万kW」という電力系統も書き込まれ、その予算は約2.5 〜 3.4兆円になるとされている。全国での必要投資額は、約6 〜 7兆円になるともいう。

　確かに、「必要投資額」は、かなりの額になる。しかし、日本の「防衛費」は2027年度には約8.9兆円になり、それに「防衛関連研究開発費」などを加えると、約11兆円になるという。「電力系統の整備」はその全額が国の負担になるものではないが、日本の国家予算を全体としてどのように組むのか。主権者である国民は、いま、再考をせまられているのではないだろうか。

　それとは別に、環境NGOの自然エネルギー財団は、国際送電網「アジア・スーパーグリッド」の整備を提言している。北東アジアだけでなく、東南アジアの国々をも国際送電網でつなぎ、東アジア全体の再エネ

革命を加速させようというのである。しかし、そのためには、「東アジア全体の平和構築」が大前提になる。東南アジア諸国連合（ASEAN）は、2019年6月23日、「インド太平洋構想（AOIP）」を採択した。この構想は、ASEAN10ヵ国と北東アジア諸国の日本、中国などが参加する東アジアサミット（EAS）を平和の枠組みとして強化し、東アジア規模の友好協力条約を展望しようというものである。その「インド太平洋構想（AOIP）」が実現できれば、東アジア地域全体を結びつける国際送電網の建設も、現実味をおびるようになり、この地域の再エネ革命を一気に加速させるはずである。さらに、「東アジア規模の友好関係」も、いっそう強化されるはずである。

（4）再エネ発電は最も安価な発電になる

　地球は再エネ資源の宝庫であり、再エネ資源の自然変動性も克服できる。しかし、再エネ発電の電力は、これからも、「割高な電力」になるのではないのか。再エネ発電は、「割安な発電」にならないか。

　国際再生可能エネルギー機関（IRENA）は、2023年8月29日、世界の再生可能エネルギーの発電コストを分析した報告書を発表した。それによると、過去13〜15年の間、世界の太陽光発電と風力発電の発電コストは下がり続けたという。その結果、太陽光発電の2022年の発電コストは、0.049ドル（7円）/kWhになったという。また、風力発電の2022年度の発電コストは0.033ドル（約5円）/kWhになり、最も安価な化石燃料発電の発電コストの半分以下になったという。しかし、日本の電源別の発電コストは、どうなっているのだろうか。

　経産省資源エネルギー庁は、2021年12月18日、『電気をつくるには、どんなコストがかかるか？』という広報を発表した。それによると、2030年の電源別発電コストは、石炭火力が13.6〜22.4円/kWh、天然ガス火力が10.7〜14.3円/kWh、原発が11.7円/kWh以上であるのに対して、陸上風力は9.8〜17.2円/kWh、太陽光（事業用）は8.2〜11.8

円/kWh、太陽光（家庭用）は8.7〜14.9円/kWhになるという。この想定コストでも、「太陽光発電（事業用）の優位」は、経産省も否定できなくなっている。しかし、この想定には、「外部コスト」は含まれていない。それを含めると、電源別発電コストは、どうなるのか。

　外部コストというのは、「コスト化されていない隠れたコスト」であり、それには「環境破壊による被害額」などがある。IPCCは、2011年、『再生可能エネルギー源と気候変動緩和に関する特別報告書』を発表した。それによると、発電による外部コストは、石炭火力が8.6円/kWh、天然ガス火力が3.9円/kWhであるのに対して、太陽光は1.4円/kWh、風力は0.2円/kWhにとどまるという。その外部コストを加算すると、再エネのコスト面での優位性は、さらにきわだってくるはずである。

　国際エネルギー機関（IEA）は、先に紹介したように、「2050年には太陽光が最大のエネルギー源になる」と予測している。その太陽光を使い勝手の良い電気に変換するのは、住宅の屋根上などにも見られる太陽電池である。その太陽光発電のコストは、技術革新と量産効果によって、さらに低下していくとみられている。

　経産省資源エネルギー庁は、アメリカの大手総合情報企業のブルームバーグの推計にもとづいて、世界と日本の再生可能エネルギーの発電コストをグラフ化している。それによると、日本の事業用太陽光発電コストは、2017年（実績）は17.7円/kWhであったが、2040年（見通し）は3.7円/kWhになるという。それでは、その先はどうなるか。

　『日経クロステック（2021年10月25日）』に登場した野澤哲生氏は、「太陽電池については、向こう100〜150年ぐらいは製造コストの下げ止まりはなさそうだ。最近の高い習熟率（量産効果）が今後とも維持されると仮定すると、日本でも、太陽光発電のコストは2050年には2円/kWh割れは固く、1円/kWhに近づく可能性さえありそうだ」と語っている。

　サウジアラビアは、2020年4月、太陽光発電の最低入札価格が1.04セント/kWhだったことを発表した。「1ドル＝109円」だったから、1.13円/kWhということになる。太陽光に恵まれた砂漠地帯では、太陽光発電のコストは、そこまで低下しているのである。サウジアラビアは、その「格安の電気」を使って「格安のグリーン水素」を製造し、それを石油にかわる主力輸出品にしようとしている。再エネ発電のコストは、いま、そこまで低下してきているのである。

（5）いずれ再エネ課徴金も不要に

　再エネ由来の電力のコストは、その発電方式が発展途上であるため、石炭火力などと比べると、これまで割高になりがちであった。だから、電力価格を市場原理にまかせていると、再エネ由来の電力は価格競争力をもたず、採算がとれなくなる。このため、再エネ先発国のドイツの国会は、2000年に「再生可能エネルギー法」を制定し、採算の取れる固定価格で電力会社に再エネ電力を買い取らせることにした。

　日本も、その「固定価格買取制度（FIT）」を2009年に導入し、再エネ由来の電力を、固定価格で電力会社に買い取らせることにした。日本の国会と内閣は、再エネ由来の電気を固定価格で買い取ることを、電力会社に「強制」することにしたのである。そして、買取価格と市場価格との差額は、「再エネ課徴金」として国民に負担させることにしたのである。電力の消費者でもある国民は、再エネ課徴金を負担することによって、発展途上にある再エネ発電を支援することになったわけである。

　それでは、消費者は、どのくらいの再エネ課徴金を負担することになったのか。標準家庭（300kWh/月）の年間負担額は、2012年度は年額792円にとどまっていたが、2022年度は年額1万2420円まで上昇した。2012年の1kWh当たりの買取価格（10kW未満）は42円であったが、2021年度には19円まで低下した。それにもかかわらず、標準家庭の年間負担額が増えてきたのは、固定価格買取制度の対象になる太陽光発電

の出力が増大してきたからである。しかし、太陽光発電の買取価格がその対象になるのは、日本の場合は 10 年間である。買取価格は、太陽光発電のコストの低下が予想されるので、さらに低下することになる。そうすると、太陽光発電は、いずれは再エネ課徴金の支援を不要とするようになるはずである。環境省は、2015 年、「再エネ課徴金は、2030 年頃をピークとして低下するようになり、2040 年代後半にはゼロになる」という見通しを発表した。太陽光発電のコストは、2015 年以降、劇的に低下してきている。そのことを踏まえると、再エネ課徴金が不要になる時代は、さらに早まる可能性もあるとみられている。そのことを先取りして示しているのが、再エネ発電が急成長する中国である。

　中国の国家発展改革委員会は、2021 年 6 月、「新エネルギーの買取価格政策に関する通知」を発表し、大企業による太陽光発電と風力発電については、固定価格買取制度の対象外として、発電コストをもとにして省政府が設定した卸売市場価格で売買することにした。

　国家発展改革委員会の責任者は、記者会見において、「近年、風力発電および太陽光発電は、技術進歩によって、発電コストが低下しており、石炭火力発電の卸売市場価格を下回るようになった」と語っていた。中国の再エネ発電のコストは、2010 年代の約 10 分の 1 になった。日照時間が長く、施工費用の安い内モンゴルや青海などでは、太陽光発電のコストは、2021 年には約 0.2 ～ 0.3 元 /kWh（約 3.2 ～ 4.8 円）まで下がった。だから、固定価格買取制度の下支えは、大企業の発電については、もう不要になってきたというのである。

（6）まずは省エネの徹底を

　2050 年までを視野に入れると、化石燃料文明を廃止し、再エネ文明を急展開すれば、「カーボンニュートラル」を達成できるはずである。しかし、それまでの過渡期は、化石燃料への依存を断ち切ることができない。このため、人類は地球を温暖化し続けることになる。どうしたら

いいのか。

　東北大学教授の明日香壽川氏は、環境エネルギー研究所の広報誌（2020年10月9日）の中で、「即効的なグリーン・リカバリーは省エネ」というタイトルを掲げ、「短期間で実施できて、かつ経済効果も大きいという意味では、いまある建築物の断熱工事による省エネが最も優れている」と指摘している。『第6次エネルギー基本計画』も、「業務・家庭部門において高い省エネルギー効果が期待されるのは、建築物・住宅の省エネルギー」であると記している。しかし、2019年度の新築注文戸建住宅のZEH（ネット・ゼロ・エネルギー・ハウス）の普及率は、約2割にとどまっている。

　東京大学准教授の前真之氏は、「しんぶん赤旗・日曜版（2023年2月26日）」に登場し、「日本では国が定める省エネ基準が欧米諸国と比べて緩く、24年前にできた断熱等級4（二重ガラス＋アルミサッシ）という"時代遅れ"のものでさえ義務化されていません」と語っていた。「ドイツやアメリカでは、熱の伝わりを抑えるガラスとサッシを組み合わせた高断熱な窓が、実質義務化されています。その結果、高性能品の値段が下がり、低所得者が住む公営住宅の改修にも利用できるのです」とも語っていた。前掲の『第6次エネルギー基本計画』は、「ZEHやZEB（ネット・ゼロ・エネルギー・ビルディング）の更なる普及拡大に向けた支援等を講じていく」と記述しているが、どのように支援していくか。世界保健機関（WHO）は、2018年11月、冬の室温を18℃以上に保つよう勧告した。

　日本では、冬の室内の暖房を石油ストーブに頼っている高齢者が、かなりの数になる。石油ストーブは、室内の大気を汚染するだけでなく、火災の危険性がついてまわる。その暖房施設を省エネ型のエアコンに変え、住宅の断熱性を高めれば、高齢者にも「健康で文化的な生活」を保障できるようになるはずである。

　産業技術総合研究所研究員の歌川学氏は、『気候変動対策と原発・再

エネ』（あけび書房）の中で、「冷暖房では、エアコンを更新の際に省エ
ネ型に転換するとエネルギー消費を 20 ～ 50％削減、ストーブ暖房をエ
アコンに変えると 80％またはそれ以上の削減が可能です」（p 108）と
記述している。東京都は、2025 年 4 月から、都内で新築する住宅に太
陽光パネルの設置を義務づけることにした。また、現行の太陽光発電設
備などの設置に対する補助制度を拡充し、その普及を加速させることに
している。

　とはいえ、日本の部門別エネルギー割合（2019 年度）に占める家庭部
門の比率は、10％にすぎなかった。産業部門が 23％、運輸部門が 16％
を占めていたが、「エネルギー転換ロス」が、なんと 32％を占めてい
た。その「エネルギー転換ロス」が最も多いのは発電部門であり、火力
発電は、投入する化石エネルギーの約 40％しか電気に転換できていな
い。原発も発生するエネルギーの約 30％しか電力に転換できていな
い。それらの発電部門を全廃すれば、当然のことながら、「エネルギー
転換ロス」を大幅に減らすことができるはずである。運輸部門について
も、石油起源の燃料で走る自動車を再エネ由来の電気で走る電気自動車
に変えれば、「エネルギー転換ロス」を大幅に減らすことができるはず
である。

　日本は、省エネの余地を、大きく残しているのである。そのことを踏
まえて、環境 NGO の「気候ネットワーク」、「自然保護基金（WWF）
ジャパン」、「自然エネルギー財団」は、2013 年を基準とした 2030 年の
最終エネルギー消費の削減量を、22 ～ 40％としている。

　国際社会は、「2050 年カーボンニュートラル」をめざして、確実に動
き出している。しかし、カーボンニュートラルを達成するまでの過渡期
においては、「省エネの徹底」が必要不可欠なのである。

（7）日本のカーボンニュートラルをどうするか

　国際社会は、「2050 年カーボンニュートラル」をめざして、動き出し

ている。しかし、その「カーボンニュートラル」を、どのように実現するのか。

　日本の政府は、2021年10月、「2050年カーボンニュートラルを目指す新しいエネルギー基本計画」を発表した。『第6次エネルギー基本計画』である。その「エネルギー基本計画」は、「はじめに」において、「10年前の未曾有の大災害（福島原発災害）は、エネルギー政策を進める上で、全ての原点である」としたうえで、「気候変動問題への対応と日本のエネルギー需給構造の抱える課題の克服という二つの大きな視点を踏まえてこの計画を策定する」と続けている。

　「二つの課題」のうちの気候変動問題については、「今後の気候変動問題への取組は、産業革命以降形成されてきた産業構造を一変させる可能性を秘めているものであり、変化への対応を誤れば、産業競争力を失いかねない」、「各国は自国に有利なルール作りに邁進している」、「デジタル技術における覇権争いが激しくなっている」などと記述しているが、どういうわけか、「深刻化する気候変動問題への日本の責任」にはまったく言及していない。

　気候変動問題を引き起こしたのは、ほかでもない、化石燃料文明である。そのことへの反省はまったく眼中になく、「温暖化問題をめぐる国際競争の激化」をあおりたて、「日本の国益の擁護」を主張しているのである。このため、「エネルギー基本計画」は、「火力発電については、できる限り電源構成に占める火力発電比率を引き下げる」としながらも、「安定供給を大前提に、設備容量を確保する」という。

　地球温暖化を止めるためには、化石燃料文明を廃棄して、再エネ文明を構築していかなくてはならない。「エネルギー基本計画」は、さすがにそのことは否定できず、「2030年に向けた政策対応」では、「再エネの主力電源化を徹底し、再エネに最優先の原則で取り組み」と記述している。しかし、「2030年度の野心的な見通し」を見ると、電源構成に占める再エネ発電の比率は36〜38％にとどまっている。その一方で、石

炭火力の比率を 19％、天然ガス発電の比率を 20％にしているのである。

　ドイツは、電源構成に占める再エネの比率を、2030 年までに 80％以上とし、2035 年にはほぼ 100％にしようとしている。それだけでなく、石炭火力発電の段階的廃止についても、2038 年までとしたものを、8 年前倒しして 2030 年とした。日本の政府は、「野心的な見通し」をうたっているが、どこが「野心的」なのか。

　日本の「エネルギー基本計画」は、「福島原発事故の経験、反省と教訓を肝に銘じて取り組むことが、エネルギー政策の原点」というが、「2030 年度の野心的な見通し」を見ると、電源構成に占める原発の比率は 20 ～ 22％になっている。2019 年の比率は、「福島原発事故の反省と教訓」を受けて、6％にとどまっていた。福島原発事故以後、24 基が廃炉となり、新規性基準・審査中などが 26 基あるため、再稼働している原発は 10 基にとどまっていたからである。このため、「エネルギー基本計画」は、「原子力規制委員会により規制基準に適合すると認められた場合には、その判断を尊重し、原発の再稼働を進める」というのである。

　「エネルギー基本計画」は、「原子力については、安全を最優先し、再生可能エネルギーの拡大を図る中で、可能な限り原発依存度を低減する」ともいう。ところが、岸田文雄首相は突如として、2022 年 8 月 24 日、「既設原発の最大限活用」、「次世代原子炉の開発・建設」の検討を関係省庁に指示したのである。

　原発は、確かに、「カーボンニュートラルな発電」ではある。しかし、岸田政権の「原発回帰」は、「福島原発事故の反省と教訓」を、どのように受け止めたものなのか。「福島原発事故の反省と教訓」を真摯に受け止めた環境 NGO は、以前から、「原発ゼロのエネルギー基本計画」を発表していた。環境 NGO の「気候ネットワーク」、「自然エネルギー財団」、「未来のためのエネルギー転換研究グループ」は、2030 年の電源構成における原発の比率を「0％」としている。それだけでなく、石炭火力の比率も、「0％」にしている。そのかわり、2030 年の再

エネ発電の比率については、「50％以上」、「45％」、「44％」といった数値を掲げている。それだけでなく、2050年の再エネ発電の比率については、「100％」の数値を掲げているのである。「2050年までに再エネ革命をやりとげる」というのである。

「2050年カーボンニュートラル」は、2022年7月の参議院選挙でも、大きな争点の一つになった。

各党の選挙公約を見ると、「石炭の段階的廃止」については、自由民主党、公明党、立憲民主党、日本維新の会、国民民主党は記載していなかった。その一方、日本共産党、社会民主党、れいわ新撰組は、「2030年脱石炭」を明記していた。「再エネの導入目標」については、自由民主党、日本維新の会は記載していなかった。「2050年100％」を明記していたのは、立憲民主党、日本共産党、社会民主党、れいわ新撰組であった。「原発の存廃」については、自由民主党は「最大限活用を図る」としていた。公明党は、「新設は認めず」という記載をなくし、「将来的には依存しない社会を」と後退していた。立憲民主党と国民民主党は「新設は認めない」としていたが、既存の原発については存続を認めていた。それに対して、日本共産党、社会民主党、れいわ新撰組は、「原発ゼロ」を明記していた。

化石燃料文明から再エネ文明への大転換は、いまでは、「脱炭素エネルギーをどうするか」が争点になっている。「最良の選択」を託せる政党はどこか。日本の主権者は、いま、「信頼できる政党の選択」を迫られているのである。

第3章
カーボンニュートラルは脱原発で

　国際社会は、IPCC の『評価報告書』に全幅の信頼を寄せて、「2050 年カーボンニュートラル」をめざして動き出している。そのカーボンニュートラルを、どのように実現するのか。カーボンニュートラルのエネルギーには、再生可能エネルギーだけでなく、原子力エネルギーもある。しかし、原子力エネルギーは、「持続可能なエネルギー資源」になるのか。日本は、2011 年、福島原発事故を引き起こした。それに衝撃を受けたドイツは、同年、「脱原発」を決意した。ところが、過酷事故を引き起こした当事国の日本は、2022 年、「原発回帰」を表明した。ドイツの選択は、間違っていたのか。日本の政府は、「地球温暖化対策に原発は欠かせない」として、「原発推進等 5 法」を強行採決させた。しかし、日本の原発は、過酷事故をくりかえすことはないか。巨大地震に耐えることができるのか。放射性廃棄物をどうするのか。原発は、本当に、供給安定性にすぐれているのか。原発は、本当に、割安な電源なのか。脱原発のカーボンニュートラルは不可能か。

　この章では、以上のような疑問について、日本とドイツを対比させながら、「正解」を探してみることにする。

Ⅰ．原発とどう向き合うのか

（1）ドイツは脱原発を断行した

　2023 年 4 月 15 日の深夜、ドイツ国内のすべての原発が、運転を停止した。最後まで稼働していた北西部にあるエムストラント原発では、この日、反原発運動に取り組んできた市民たちが、「原発の歴史の終わりを祝う集会」を開催した。

　ドイツでは、「西ドイツ時代」の 1961 年 6 月、最初の原発が電力供給を開始した。しかし、1970 年代後半になると反原発運動が高揚するようになり、1983 年には反原発運動の先頭に立っていた「緑の党」が連邦議会で初めての議席を獲得した。1986 年 4 月には、旧ソ連のチェルノブイリ原発（＝ウクライナのチョルノービリ原発）において、人類史上最悪の過酷事故が発生した。その放射能汚染はドイツにも広がり、反原発運動のさらなる高揚を促した。1998 年には社会民主党と「緑の党」による連立政権が誕生し、2000 年 6 月には連立政権と電力業界の間で、「原発全廃の基本合意」がかわされた。それを受けて、2002 年 4 月には連邦議会で「改正原子力法」が採択され、「2021 年までの全原発の停止」が国策になった。

　しかし、2005 年に発足した、キリスト教民主同盟を盟主とするメルケル政権は、「原発回帰」をめざすことになった。連邦議会は、2010 年 12 月には原子力法を改正し、原発の稼働期間を平均で 12 年間、延長することにした。ところが、その直後の 2011 年 3 月、日本で福島原発事故が発生したのである。メルケル政権は、その衝撃を受けて、ただちに政府の諮問機関「安全なエネルギー供給に関する倫理委員会」を立ち上げた。その諮問機関は 2011 年 5 月には「2022 年末までの全原発の段階的停止」を提言し、それを受けた連邦議会は、2011 年 8 月には原子力法を改正して「2022 年末までの全原発の段階的停止」を決定した。そ

の決定を受けて、ドイツは 2023 年 4 月 15 日、全原発の運転を停止させることになったのである。

　ドイツには、「人間の生き方に関係する重大な問題」については、倫理委員会を設置して諮問させるという伝統がある。それでは、その伝統にそって設置された「安全なエネルギー供給に関する倫理委員会」は、どのような報告書を答申したのか。

　委員会がまとめた報告書『ドイツのエネルギー大転換：未来のための共同事業』（大月書店　2013 年）は、まずは、「ドイツ国内における原子力のリスクを将来的になくしていくためには、脱原発が必要であり、また推奨される。リスクのもっと小さな代替手段がある以上、脱原発は可能です」（p 21）といいきっている。どうしてか。「原子力事故が、日本のようなハイテク国家において生じたという事実です。これにより、ドイツではそのようなことは起こりえないという確信はなくなりました」（p 42）、「福島の原発事故は、日本のような高度な組織されたハイテク国家においても、真に緊急の事態に際し、人々の災害準備や対策に限界があることを示しています。生じてくる結果はあらゆる範囲に及び、自然や食糧生産にとって、また事故現場近くの住民や、世界経済にとって、ほぼ際限のないものになります」（p 48）というのである。そしてそのうえで、「原子力事故は、それが最悪の場合にどんな結果になるかは未知であり、また、評価がもはやできないからです。その結果は、空間的にも時間的にも社会的にも、限界づけることができません」（p 48）としたうえで、「原子力技術をもはや使用すべきでない、ということが導かれます」（p p 48 〜 49）と結論づけているのである。「原子力は人間の手にはおえないものであり、人間は制御できない。だから、原発は停止すべきである」というのである。

　しかし、原発の運転を停止しても、電力を確保できるのか。報告書は、「ドイツは科学研究や技術開発によって、また持続可能な経済のための新しいビジネスモデルの展開へ向けて企業がイニシアチブをとるこ

とにより、風力や太陽光・熱、水力や地熱、バイオマス、またエネルギー利用の効率化や生産性の向上、気候保全に配慮した化石燃料の使用といったように、さまざまな代替手段を利用可能です」（p 21）といい、「ドイツが必要とする電力は、再エネ発電などで、十分にまかなうことができるようになる」と自信をもっていいきっている。それだけでなく、「ドイツ経済は最高水準の品質の製品を生産する創造性と能力をもつところに、その強みがあります」（p 23）といい、「ますます多くの企業が、各々のビジネス分野について、持続可能な経済を追求する方向に進みつつあります。脱原発は、こうした企業にさらに多くのチャンスをもたらすでしょう」（同上）と続けている。「脱原発は、企業にとっても、チャンスにもなる」というのである。

　『報告書』は、「エネルギー大転換は、政界と産業界と市民社会があらゆるレベルにおいて共同して努力することによって達成できる」（p 22）といい、「ドイツのエネルギーの未来」という共同事業を提案した。その共同事業は、成功するのか。失敗するのか。報告書は、「もし

ドイツのエネルギー源別発電割合の推移

	1990 年	2000	2010	2016	2018	2020	2022
再生可能	3.6	6.6	16.6	29.3	35.1	44.4	44.5
石油製品	2.0	1.0	1.4	0.9	0.8	0.7	0.8
天然ガス	6.5	8.5	14.1	12.5	12.9	16.0	14.0
原子力	27.7	29.4	22.2	13.1	11.9	11.2	6.1
石炭	25.6	24.8	18.5	17.3	12.9	7.4	11.3
褐炭	31.1	25.7	23.1	23.1	22.7	16.0	20.3
その他	3.5	3.9	4.2	4.2	4.2	4.3	3.1

単位（％）　資料出所 ドレスデン情報ファイル

　再エネ革命の先進国であるドイツでは、発電電力量に占める再エネの比率が、1990年以降、飛躍的に高まっている。1990年の再エネの比率は3.6％に過ぎなかった。それが2022年には44.5％にまで高まった。2022年の原子力の比率は6.1％だが、その比率は2024年には0％になる。「2030年石炭・褐炭0％」を理想としている。そして、「2035年再エネ100％」に向かって、動き出しているのだ。

これ（エネルギー大転換）が成功すれば、他の国々に大きな影響を及ぼすでしょう。もし失敗すれば、その結果はドイツ自身にとって深刻なものとなり、またこれまでの再生可能エネルギーの成果に疑問がもたれることになるでしょう」（p 22）といい、「エネルギー転換」が国際社会におよぼす重大な影響にまで言及している。

　そのドイツは、2023年4月15日、ついに全原発を停止した。しかし、国民の生活や産業経済に不可欠な電力は、安定的に確保できているのか。

　ドイツのエネルギー源別の電源構成は、福島原発事故直前の2010年、褐炭が23.1％、石炭が18.5％、天然ガスが14.1％であり、化石燃料が55.7％を占めていた。また、原子力が22.2％を占め、再エネは16.6％にとどまっていた。それが、2022年には、褐炭が20.3％、石炭が11.3％、天然ガスが14.0％、原子力が6.1％に変わり、再エネが44.5％を占めるまでになっていた。そのような実績を踏まえて、ドイツ政府は、2022年4月6日に「2030年までに電力消費に占める再エネの比率を80％以上にし、2035年以降は国内で発電・消費される電力部門はほぼ気候中立とする」というエネルギー政策関連法を閣議決定した。ドイツの政府と連邦議会は、そのエネルギー政策関連法に基づいて、再エネ革命を加速させることにしたのである。ドイツは、「リスクのもっと小さい代替手段」があることを、身をもって実証しようとしているのである。

　しかし、ドイツの電源構成に占める天然ガスの比率は、依然として高止まりしていた。ドイツは、ロシアのウクライナ侵攻前、輸入天然ガスの55％をロシアに依存していた。ロシアの天然ガスは、「ノルドストリーム」と呼ばれるパイプラインを経由して、「割安の価格」で輸入されてきた。ところがプーチン大統領は、明言していないものの、「反ロシア政策への報復」として、2022年7月11日にはパイプラインによる供給を停止した。そのような事態を恐れていたドイツは、電力消費に占める再エネの比率を一気に高めて、電力の安定的な確保を図ることにした。ロシアの天然ガスへの過度の依存は、単なるエネルギー問題ではな

く、安全保障の問題でもあることに、気づかされることになったのである。

（2）日本は「原発回帰」に向かう

ドイツの「安全なエネルギー供給に関する倫理委員会」がまとめた前掲『ドイツのエネルギー大転換』は、「日本のようなハイテク国家」で起こった福島原発事故に衝撃を受け、「原発は空間的にも時間的にも社会的にも限界づけることができない」との認識を踏まえて、「原子力技術は使用すべきではない」との結論を答申した。ドイツの連邦議会と政府は、その答申を踏まえて、「2022年末までの全原発の段階的廃止」を決定した。

ところが、福島原発事故の当事国である日本の岸田文雄首相は、2022年8月24日、「安全性の確保を大前提に運転期間の延長など、既設原発の最大限の活用」と「次世代革新原子炉の開発・建設」の検討を関係省庁に指示した。「原発回帰」に踏み切ったのである。

日本の政権政党は、「化石燃料資源に恵まれない日本では、準国産の電力を供給してくれる原発が、必要不可欠である」として、1955年12月19日に「原子力基本法」を成立させた。それを受けて、1966年、「日本原子力発電株式会社（日本原電）」の東海発電所が運転を開始した。茨城県東海村に建設された原発は、イギリスの支援を受けた「黒鉛減速ガス冷却炉」という方式で、さまざまな問題点を抱えていた。このため、その後、アメリカの支援を受けた「軽水炉」という方式が導入されることになった。その軽水炉型原発は、1970年には福井県の敦賀市と美浜町に建設され、その後の原発増設の「主流」になった。原発の基数は、1970年は3基にすぎなかったが、2010年には54基となり、日本の電源構成の28.6%を占めるまでになった。

1979年にはアメリカのスリーマイル島で過酷事故が発生した。1986年には旧ソ連のチェルノブイリ（チョルノービリ）で史上最悪の過酷事

故が発生した。それにもかかわらず自民党政権は、その教訓を生かそうとせず、原発推進政策を継続することにした。2009年には民主党政権が誕生したが、この政権も、地球温暖化対策を「追い風」に、前政権の原発推進政策を引き継ぐことになった。そして、2010年に策定された「第3次エネルギー基本計画」では、「2030年までに少なくとも14基以上の原発を新増設し、電源構成に占める原発の比率を50％超とする」という目標を掲げるまでになった。

　ドイツの社会民主党は、「緑の党」と連立政権を樹立し、2002年4月には「2021年までの全原発の停止」を明記した「改正原子力法」を成立させていた。日本共産党は、1960年代以降、一貫して「安全性抜きの原発建設」に反対してきた。しかし、国会での議席数からして、原発推進政策を変更させることはできなかった。

　そのようにして形成されてきた「原発列島」に、2011年3月11日、マグニチュード9.0の東北地方太平洋沖地震が襲いかかってきた。激しい地震動と巨大な津波によって、原子炉を冷却する全電源が失われたため、1号機、2号機、3号機があいついで冷却不能となり、炉心溶融（メルトダウン）を引き起こした。このため、大量の水素が発生し、その爆発によって建屋が大破した。大量の放射性物質が周辺地域に放出され、政府は、福島原発から半径20km圏内を「警戒区域」、20km以遠の放射性量の高い地域を「避難対象地域」とした。それによって、10万人以上の住民が、避難させられることになった。

　それだけではなかった。民主党の菅直人首相は、もっと恐ろしい「最悪のシナリオ」を想定していたのである。4号機は、炉心定期検査中のため、核燃料は原子炉から燃料プールへと移されていた。燃料プールは、原子炉とは異なり、格納容器におおわれていないため、「開放状態」にある。その燃料プールへの給水が止まると、核燃料がむきだし状態になり、大量の放射性物質を放出し、メルトダウンに向かうことになる。そのような「最悪の事態」が発生したらどうなるか。菅直人首相は

急いで、原子力委員会委員長の近藤俊介氏に、「最悪シナリオ」の作成を要請した。「最悪のシナリオ」というのは、「170km圏内の強制移住」、「東京都を含む250km圏内の避難要請」を想定したものであった。アメリカ大使館は「最悪のシナリオ」を独自に作成し、「80km圏内に住むアメリカ国民」に対して避難勧告を発令した。

　日本共産党の志位和夫委員長は、2011年3月31日、菅直人首相との会談で、「第3次エネルギー基本計画」の白紙からの見直しを求めた。それに対して、菅直人氏は初めて、「見直しの意向」を表明した。その後、「原発推進機関から分離・独立した規制機関の設置」を表明し、静岡県御前崎市に立地していた中部電力の浜岡原発に対して、「運転停止」を要請した。さらに、2012年9月、「2030年代には原発稼働ゼロを可能にする」という目標も発表した。

　しかし、民主党内には、「菅直人氏の独走」への反発が残っていた。菅直人首相は「核燃料サイクル政策の見直し」にも言及したが、原子力関連施設が立地する自治体からは、激しい反発が寄せられた。その一方で、自民党と公明党は、「原発推進政策の過ち」については何も語らず、ひたすら民主党政権の「事故対応の失敗」を激しく非難し続けた。

　2012年の衆議院選挙では、自民党と公明党が圧勝し、民主党は政権から追われることになった。自民党は、公示前の議席は118であったが、2012年の選挙では当選者を294へと激増させた。公明党の議席数は21であったが、当選者は31へと増加させた。その一方で民主党は、230の議席を守れなかっただけでなく、当選者を57へと激減させた。主権者である国民は、「原発稼働ゼロ」をめざそうとした民主党ではなく、原発推進政策を捨てなかった自民党と公明党を選んだのである。

　福島原発事故の当事国であった日本では、ドイツとは異なり、「安全なエネルギー供給に関する倫理委員会」のような諮問機関も立ち上げられず、「国権の最高機関」では、原発推進政党が圧倒的な多数を占めることになったのである。

（3）原発を「ベースロード電源」に？

　政権に返り咲いた自民党と公明党は、2014年4月、『第4次エネルギー基本計画』を発表した。そして、その冒頭で「東京電力福島第一原子力発電所で被災された方々の心の痛みにしっかりと向き合い、寄り添い、福島の復興・再生を全力で成し遂げる」と宣言し、「震災前に描いてきたエネルギー戦略は白紙から見直し、原発依存度を可能な限り低減する」と誓った。

　また、最悪の過酷事故を引き起こしたことについては、「政府及び原子力事業者は、いわゆる〝安全神話〟に陥り、十分な過酷事故への対応ができず、このような悲惨な事態を防ぐことができなかったことへの深い反省を一時たりとも放念してはならない」といい、「安全神話」にとらわれていたことへの「深い反省」にも言及していた。

　しかし、『基本計画』は、「原発ゼロの日本」をめざそうとしなかった。「原子力」を「エネルギー需給構造の安定性に寄与する重要なベースロード電源」として位置づけたのである。「ベースロード電源」というのは「コストが安く、季節、天候、昼夜を問わず安定的に発電できる電源」とされている。『基本計画』は、原発を優れたベースロード電源であるとして、積極的に活用していくことにしたのである。どうしてか。「原発は燃料投入量に対するエネルギー出力が圧倒的に大きく、数年にわたって国内燃料だけで生産が維持できる低炭素の準国産エネルギーであり、優れた安定供給性を有しており、運転コストが安く、運転時には温室効果ガスの排出もないからである」というのである。

　しかし、安全性は、しっかりと確保できるのか。「原子力規制委員会の専門的な判断に委ね、原子力規制委員会により世界で最も厳しい水準の規制基準に適合すると認められた場合には、その判断を尊重し原子力発電所の再稼働を進める」、「国も前面に立ち、立地自治体等の関係者の理解と協力を得るよう、取り組む」というのである。しかし、過酷事故が発生する危険性は、完全になくなるのか。「万が一事故が起きた場合

には、国は関係法令に基づき、責任をもって対処する」というのである。

　原子力規制委員会というのは、福島原発事故の教訓を踏まえて、2012年6月に国会の承認を受けて設置された行政機関である。福島原発事故以前は、原発の安全性を担保する「原子力安全・保安院」は、原発を推進する資源エネルギー庁とともに、経済産業省に置かれていた。このため、同じ官僚が省内の移動によって、推進側と規制側を往復するなど、規制権限の行使が十分にはおこなわれてこなかった。その反省にもとづいて、環境省に原子力規制委員会が設置され、その事務局として原子力規制庁が設置されることになった。

　原子力規制委員会は、まずは、新たな方針にもとづいて、すべての原発の稼働を停止させた。ついで、新しい基準に適合すると認めた原発については、再稼働を許可することにした。その結果、2014年には稼働中の原発はゼロになり、電源構成に占める原発の比率もゼロになった。しかしその後、再稼働を認められる原発が次第に増加し、2023年10月27日現在、12基の原発が稼働していた。廃炉になった原発は24基となり、新規制基準での審査を受けている原発は10基となっていた。

　そのような中で、自公政権は、2021年10月22日、『第6次エネルギー基本計画』を閣議決定した。『基本計画』は、原子力については、「東京電力福島第一原子力発電所事故を経験した我が国としては、2050年カーボンニュートラルや2030年度の新たな削減目標の実現を目指すに際して、原子力については安全を最優先し、再生可能エネルギーの拡大を図る中で、可能な限り原発依存度する低減する」としながらも、「2030年までに、民間の創意工夫や知恵を活かしながら、国際連帯を活用した高速炉開発の着実な推進、小型モジュール炉技術の国際連帯による実証、高温ガス炉における水素製造に係わる要素技術確立等を進めるとともに、ITER計画等の国際連携を通じ、核融合研究開発に取り組む」とつけくわえていた。そして、「可能な限り原発依存度を低減する」としながらも、2030年の電源構成に占める原子力の比率を20〜22%とした。

2019年の電源構成に占める原子力の比率は6％であった。

　岸田内閣は2022年6月、ロシアのウクライナ侵攻を口実に、「原発を最大限、活用する」という方針を表明した。その後、2023年2月10日、「GX（グリーン・トランスフォーメーション）実現に向けた基本方針」を閣議決定し、原発の建て替え（リプレース）や運転期間の「60年超」の延長などの方針を発表した。さらに、2023年5月31日には「原発推進関連法」を成立させ、「原発の積極活用に向けた国の責務や施策」を原子力基本法に明記した。また、福島原発事故後に導入された運転期間の制限を緩和して、「60年を超える老朽原発の稼働」に道を開いた。岸田文雄首相は、2021年10月までは、「現時点では、原発の新増設は、想定していない」と明言していたはずである。

（4）ドイツと日本の違いはなぜ

　ドイツは、2023年4月15日に予定通り、全原発の運転を停止した。それなのに、福島原発事故の当事国である日本は、「原発の最大限活用」に向かって動き出している。この違いは、どうして、生まれたのか。

　ドイツでは、1970年代後半以降、反原発運動が高揚し、1998年には社会民主党と「緑の党」の連立政権が誕生した。そして、その政権のもとで、2002年には「2021年までの全原発の停止」を明記した改正原子力法が採択された。そのような流れの中で、メルケル氏を首相とする中道右派政権は、2011年の福島原発事故を踏まえて、「安全なエネルギー供給に関する倫理委員会」を立ち上げた。そして、その委員会の答申を踏まえて、2011年8月、ドイツ連邦議会は「2022年末までの全原発の段階的停止」を決定した。「安全なエネルギー供給に関する倫理委員会」には、社会学者や経済学者だけでなく、実業界や宗教界の指導者なども加わっていた。

　その倫理委員会がまとめた『ドイツのエネルギー大転換』は、「エネルギー大転換は、政界と産業界と市民社会が、あらゆるレベルにおいて

共同して努力することによって達成できる」（p 22）といい、「産業界と市民社会の連帯」をうたっていた。また、「大規模な共同事業は、ドイツの経済水準を高める重要な発展の刺激となります」（p 57）といい、「エネルギー大転換を進めていくなかで、数多くの企業が新たに設立され、すでにある企業は、その生産能力を拡大し、新たな雇用を生み出すでしょう」（同上）と続けていた。

　ドイツでは、社会民主党と「緑の党」を中核とした「脱原発の統一戦線」が多数派となり、産業界や宗教界をも巻き込んで、「全原発の段階的停止」を国策としたのである。

　ところが、福島原発事故以前の日本では、自民党と公明党だけでなく、民主党をも含めて、主要な政党は、何の疑いもなく「原発推進」を国策としていた。福島原発事故当時、政権を担当していた民主党は、南海トラフ巨大地震の震源域に立地する浜岡原発に対して、「運転停止」を要請した。また、「原発推進機関から分離・独立した規制機関の設置」、「2030 年代の原発稼働ゼロ」を表明していた。2009 年に発足した、鳩山由紀夫氏を首相とする民主党政権は、「太陽光発電の余剰電力買取制度」を開始した。それを引き継いだ菅直人政権は、東日本大震災の当日、再エネ電力の固定価格買取制度を閣議決定した。それを受けて、野田佳彦政権は 2012 年 7 月、「電気事業者による再生可能エネルギー電気の調達に関する特別措置法（FIT 法）」を施行させた。

　民主党政権時代の 2011 年 12 月には、「東京電力福島原子力発電所事故調査委員会」が立ち上げられ、2012 年 7 月には『国会事故調報告書』（徳間書店）が国会に提出された。その『報告書』は、「東京電力福島原発は、地震に対する耐力不足にあった。それにもかかわらず、そのことを認識していながら、津波対策を怠っていた」として、東京電力の不作為を厳しく批判した。また、「業者としての東電の事故対応に問題点があり、それを監督・指導すべき政府の事故対応にも問題点があった」と指摘し、「政府の不作為」をも批判した。このため、『第 6 次エネルギー

基本計画』も、「"安全神話"に陥って悲惨な事故を防ぐことができな
かったという反省を一時も忘れることなく、安全を最優先で考えてい
く」と論述せざるをえなかった。

　しかし、2012年の衆議院選挙で圧勝した自公政権は、2014年4月に『第
4次エネルギー基本計画』を閣議決定し、「原発依存度を限りなく低減
する」としながらも、「原子力をベースロード電源として活用する」と
いう姿勢を堅持することにした。それに対して、立憲民主党、日本共産
党、社会民主党等は、2018年3月、「原発ゼロ基本法案」を共同提出し
た。それに続けて、2019年6月、「分散型エネルギー利用促進法案」、「熱
エネルギー利用促進法案」等を共同提案した。しかし、それらの法案は
衆議院経済産業委員会に付託されたものの、議員立法は政府が提出した
法案の後に審議されるという通例を「理由」に、一度も審議されること
もなく「黙殺」されることになった。

　日本国憲法の第41条は「国会は、国権の最高機関であって、国の唯
一の立法機関である」と明記している。その「国権の最高機関」は、
「原子力発電の再稼働を進める。高速炉開発の着実な推進を進める」と
した『第6次エネルギー基本計画』に異議をとなえず、「原発ゼロ基本
法案」の審議をも拒絶したのである。

　ドイツは、日本と同じように、議会制民主主義の国であり、連邦議会
を国権の最高機関としている。その連邦議会が選んだ連邦政府は、2022
年4月6日、「再生可能エネルギー拡大へ向けた関連法」を閣議決定し
た。その「関連法」は、「再生可能エネルギーの設備は最優先の公益で
あり、公共の安全に資するものである」としたうえで、「2030年までに
電力消費の80％以上を再生可能エネルギーとして、2035年以降は国内
で発電・消費される電力部門はほぼ気候中立とする」という目標を掲げ
ているのである。「安全なエネルギー供給に関する倫理委員会」の報告
書は、「リスクのもっと小さな代替手段がある以上、脱原発は可能で
す」（p21）と論述していた。「脱原発の統一戦線」が政権を掌握して

いるドイツは、「リスクのもっと小さな代替手段＝再エネ」で、2035年の電力部門の全エネルギーをまかなおうとしているのである。一方、日本の自公政権を支える政党は、2023年5月31日の国会で、「原発推進関連法」を成立させ、「原発回帰」を合法化することになったのである。

Ⅱ．原発は持続可能な発電ではない

（1）原発は過酷事故を再発しないか

　ドイツは、「安全なエネルギー供給に関する倫理委員会」の答申にもとづいて、2023年4月15日、すべての原発の稼働を停止した。その委員会がまとめた前掲『ドイツのエネルギー大転換』は、「福島の原発事故は、日本のような高度に組織されたハイテク国家においても、真に緊急の事態に際し、人々の災害準備や対策に限界があることを示した」との認識を示し、「原子力技術をもはや使用すべきではない」と結論づけた。しかし、その「ハイテク国家」の岸田内閣は、2022年6月、『第6次エネルギー基本計画』をさらに「発展」させて、「原発を最大限、活用する」という方針を表明したのである。「人々の災害準備や対策に限界はない。日本の原発は安全を確保できる」というのである。本当か。

　『第6次エネルギー基本計画』は、「原子力」について、「いかなる事情よりも安全性を全てに優先させ、国民の懸念の解消に全力を挙げる前提の下、原子力規制委員会により世界で最も厳しい水準の規制基準に適合すると認められた場合には、その判断を尊重し原子力発電の再稼働を進める」と記述している。「政府は、原子力規制委員会が世界で最も厳しい水準の規制基準に適合すると認めた原発については、再稼働を進める」というのである。「原子力規制委員会は、"人間の限界"を超える能力をもっている」、「世界で最も厳しい水準の規制基準に適合した原発は、過酷事故を引き起こすはずはない」というのである。しかし、原子

力規制委員会の前委員長の更田豊志氏は、「朝日新聞（2023 年 7 月 25日）」に登場し、「"世界一厳しい" という言い方は、安全神話をつくり出そうとしているのと同じなんですよ。原子力を進めたい人が "だから事故は起きません" と言いたいための言葉だけれど、安心しきってしまうのはとても危険です」と語っていた。

『第 6 次エネルギー基本計画』は、「福島原発事故の真摯な反省」を踏まえて、「原子力利用における不断の安全性向上」をはかると約束している。そうすれば、福島原発事故のような過酷事故は、未然に防止できるはずだという。しかし、「原子力政策の再構築」という項目には、「原子力防災体制の構築・充実については、道路整備等による避難経路の確保等を含め、政府全体が一体的に取り組み」（p 68）という記述がみられる。「避難計画については、その具体化・充実化を進める」（同上）というのである。

ということは、「過酷事故を未然に防げないこともありうる」という認識が、「原子力政策の再構築」の大前提になっていることである。ドイツは、「過酷事故を未然に防げないこともありある」という認識を大前提として、「原子力技術はもはや使用すべきではない」と決断した。ところが、日本の政府は、「過酷事故の再発はありうるが、原発を最大限活用する」といい始めているのである。

日本の研究者達は、福島原発事故の直後、「いまこそ日本は原発と決別しなければならない」と考えて、『原発を終わらせる』（岩波新書）を刊行した。その中で、原子炉格納容器の設計にたずさわってきた後藤政志氏は、「福島第一原発では、運転中の 1 号機から 3 号機まで、核反応を "止めること" には成功したが、炉心を "冷やすこと" と放射性物質を "閉じ込めること" に失敗した」（p 35）と論述したうえで、「事故の進展シナリオは無限であり、すべての対策ができない以上、過酷事故を防ぐことは原理的にできない」（p 49）との見解を示していた。原子力資料情報室の上野千尋氏は、「原発のもっとも大きな問題は、原子炉の

内部に大量の放射性物質を抱えながら運転を続けることである」（p 75）、「原発の事故の中でもっとも怖れられている事故として、核暴走事故と冷却材喪失事故がある」（p 79）と論述したうえで、「"確率的"には無視できるほどのありえない事故でも、ひとたび巨大な事故が起これば回復不能な被害が生じる」（p 80）と警告していた。東京大学名誉教授の井野博満氏は、「原発は"技術といえない技術だ"といってよい」（p 87）といいきり、その一つとして「圧力容器の照射脆化」をあげている。「原子炉で核分裂を起こさせて発生する中性子線が原子炉の容器や配管などに当たると金属材料を傷つける」（p 88）と記述していた。

　福島原発事故当時、アメリカ原子力規制委員会の委員長を務めていたグレゴリー・ヤツコ氏は、2023年7月16日のNHKの番組『3.11原発事故～そのとき日米は』に登場し、「いくら安全性を向上させ、より厳しい規制を定め、厳密なテストを行ったとしても、事故が発生しないという保証はどこにもありません。次に起こる事故は、過去にも起きていない想定外のものになるでしょう」と語っていた。その「想定外の事故の危険性」がもっとも懸念されているのは、ほかでもない、南海トラフ巨大地震の震源域に立地する浜岡原発なのである。

（２）浜岡原発は巨大地震の震源域に

　フィンランドにおいて、2023年4月16日、世界最大級の原発が運転を開始した。そのフィンランドでは、2022年10月20～21日、「観測史上最大級の地震」が発生した。マグニチュードは1.5であった。日本では、どのくらいのマグニチュードの地震が、起こりうるのか。

　地震列島の日本では、南海トラフ巨大地震の発生が、刻々と迫っている。南海トラフというのは、静岡県の駿河湾から宮崎県の日向灘沖にかけての溝状の海底地形であり、そこにフィリピン海プレートが沈み込んでいる。その沈み込みによって生ずる「ひずみ」が引き起こす地震が、南海トラフ巨大地震である。政府の地震調査研究推進本部は、発生する

地震の規模をマグニチュード8〜9クラス、その発生確率を「30年以内、70〜80％」と推定している。

　政府の中央防災会議は、「静岡県から宮崎県にかけての一部の地域では震度7となる可能性がある。それに隣接する周辺の広い地域では震度6強から6弱の強い揺れになる」、「関東地方から九州地方にかけての太平洋沿岸の広い範囲に10mを超える大津波の襲来が想定される」と警告している。

　その南海トラフ巨大地震の震源域に、福島原発事故直後に運転の停止を要請された中部電力の浜岡原発が立地している。中央防災会議の「南海トラフ巨大地震モデル検討会」は、浜岡原発が立地する御前崎市の震度を「7」と想定した。東日本大震災のとき、福島第一原発が立地していた福島県大熊町の震度は「6強」であった。それよりも一段と強い震

南海トラフ巨大地震の震源域と浜岡原発

浜岡原子力発電所

南海トラフ巨大地震震源域

資料出所：中部電力HP

　静岡県の御前崎市にある中部電力浜岡原発は、南海トラフ巨大地震の震源域の真上に立地している。世界でも、巨大地震の震源域の真上に立地している原発は皆無である。政府機関は、マグニチュード8〜9の巨大地震の発生確率を、「30年以内、70〜80％」と警告している。それなのに、中部電力は、再稼働をめざして、原子力規制委員会に審査を要請している。

度7の地震動というのは、どのようなものか。気象庁の「震度階級関連解説表」によると、「立っていることができず、はわないと動くことができない。揺れにほんろうされ、飛ばされることもある」とのことである。「壁、梁、柱などの部材に、ひび割れ・亀裂がさらに多くなる。1階あるいは中間階が変形し、まれに傾くこともある」、「大きな地割れが生じることがある。がけ崩れが多発し、大規模な地滑りや山体の崩壊が発生することがある」ともいう。

　そのような強い地震動が、東日本大震災の際には、3分近くも続いた。浜岡原発の運転員は、最悪の事態が発生した際に、はたして原発の計器類を操作できるのか。

　原発の基準地震動には「Gal（ガル）」という単位が使われている。浜岡原発の設計基準になる基準地震動は、東日本大震災後、1200Galと2000Galに引き上げられた。しかし、東日本大震災の際には、震源域から遠く離れた宮城県栗原市で、2933Galの地震動が観測された。2008年に発生した岩手・宮城内陸地震の際には、岩手県一関市で4022Galの地震動が観測された。南海トラフ巨大地震が発生すると、浜岡原発には、そのような地震動が襲いかかる心配はないのか。

　関西電力の大飯原発と高浜原発で、「差し止めを命じる判決」と「再稼働差し止めの仮処分」をいいわたした福井地裁・元裁判長の樋口英明氏は、『私が原発を止めた理由』（旬報社）の中で、「"5115ガル"が原発の耐震設計基準であったとしても、最近20年しか計測されていないこと、将来、5115ガルを超える地震が原発を襲わないとは断言できないので、この数値が原発の耐震設計基準としてふさわしいか意見が分かれると思います」（p 38）と記述し、「"5115ガル"は原発の耐震設計基準を示すものではなく、三井ホームの耐震性であり、"震度7に60回耐えた家"として宣伝されています」（同上）と続けている。南海トラフの震源域に立地している浜岡原発の基準地震動は、1200Gal、2000Galに過ぎない。それなのに、中部電力はいまなお、再稼働をめざしているの

である。

　南海トラフ巨大地震の震源域に立地する浜岡原発は、もう一つの深刻な課題を抱えている。この原発は、福島原発と同じように、海に面している。「津波対策をどうするか」である。

　原子力規制委員会は、2022年7月15日、発電所の敷地前面の最大津波高を標高22.7mとする評価を示した。2011年3月11日に福島第一原発を襲った津波の高さは15m程度とされていた。中部電力は、その数値を踏まえて2012年、敷地前面の最大津波高を20.7m、防潮壁の標高を22mに引き上げた。ところが、最新の想定は、その高さを超えることになったのである。

　このため、中部電力は、「防潮壁のさらなるかさ上げ」を余儀なくされることになった。その対策がすすまないうちに、南海トラフ巨大地震が発生したら、どうなるのか。防潮壁は津波に耐えられるか。京都大学原子炉実験所助教だった小出裕章氏は、『原発はいらない』(幻冬舎)の中で、「浜岡原発で破局的な事故が起きると、風向きが東京方面の場合の死亡者数は191万7465人になる。風向きが大阪方面の場合の死亡者数は101万8008人になる(筆者要約)」(p 107)と記述している。

　浜岡原発では、現在、1号機と2号機は運転を終了している。3号機、4号機、5号機は運転を停止し、9年前から原子力規制委員会の審査を受けているが、審査終了の見通しは立っていない。中部電力は、「浜岡原発は巨大地震に耐えられるようになる」として、依然として再稼働をめざしているのである。しかし、3号機から5号機までの使用済み核燃料は、現在、核燃料プールに保管されている。その使用済み核燃料は、巨大地震による電源喪失によってプールの水位が低下すると、メルトダウンに向かう危険性はないのか。中部電力は「核燃料プールに注水する機能を強化している」というが、その「機能」は、はたして「直下型巨大地震」に耐えられるのか。

　「いまこそ日本は原発と決別しなければならない」と考えた研究者達

は、福島原発事故直後の2011年7月、前掲『原発を終わらせる』を刊行した。その中で、地震学を専門とする石橋克彦氏は、「日本列島は地球の表面積のわずか0.3％たらずだが、その範囲内で地球の地震の約1割が発生する」（p 115）と指摘したうえで、浜岡原発について、「関東地方まで居住不能となる最悪の原発震災をおこすおそれが強いから、永久に閉鎖すべきだ」（p 128）と主張している。それだけでなく、「大地震発生の可能性があって活断層も多い若狭湾の原発群、とくに運転歴30年を超える複数の老朽炉は非常に危ない」（同上）と指摘し、「これらの原発震災は中京圏〜近畿圏を居住不能にしかねない」（同上）と警告している。その若狭湾原発群の二つの原発について、「差し止め判決」をいいわたした樋口英明氏は、前掲『私が原発を止めた理由』の中で、「我が国の原発の耐震性は極めて低い。よって、原発の運転は許されない」（p 4）といいっている。それにもかかわらず、関西電力は、2023年7月28日、若狭湾に立地する高浜原発を再稼働させた。この原発は、1974年に運転を開始したものであり、運転経歴は30年どころではない。老朽化による施設の劣化を、どのように補うのか。

（3）解決できない放射性廃棄物問題

　原発は、ウランを核分裂反応させる過程で生じる熱エネルギーを取り出して、その熱エネルギーを電気エネルギーに変えるシステムである。その転換過程で、いやおうなしに、「使用済み核燃料」が発生する。日本の政府は、その使用済み核燃料を再処理して、ウランやプルトニウムを抽出し、それらを燃料として再利用することにした。そのような「核燃料サイクル」を完成させるため、青森県六ヶ所村に再処理施設を建設することにした。しかし、その中核施設である再処理工場では、次々とトラブルが発生したため、事業者である日本原燃は、2022年12月26日、完成目標時期の「26回目の延期」を発表せざるをえなくなった。

　再処理工場では、使用済み核燃料の再処理によって、ウランやプルト

ニウムのほかに、高レベル放射性廃棄物である廃液が発生する。その廃液をガラス原料と融かし合わせて、ステンレス製の容器に流し込み、冷やして「ガラス固化体」を製造する。日本では、そのガラス固化体を、30〜50年ほど貯蔵・保存して、最終的には地下300mより深い安定した地層に処分することにしている。ガラス固化体は、1000年間で放射能が約3000分の1になり、数万年後にはウラン鉱石の放射能と同程度になるとされている。

　再処理工場の完成予定時期は、当初、1997年だった。それが、現在においても、まだ操業できていない。このため、全国の原発は、使用済み核燃料を発電所内の「貯蔵プール」に保管している。再処理工場が稼働できないため、使用済み核燃料は、各原発の敷地内にある貯蔵プールに貯まり続けている。九州電力玄海原発の使用済み核燃料の貯蔵率は、2023年3月末時点、すでに89％に達していた。貯蔵率が80％を超えている原発は、玄海原発を含めると、8ヶ所を数えている。貯蔵プールが満杯になると、原発をとめなくてはならなくなる。関西電力の原発では、貯蔵プールは、あと5〜7年で満杯になる。そこで、使用済み核燃料を一時的に保管する「中間貯蔵施設」を山口県上関町に建設しようとしているが、町民の世論は大きく分かれている。関西電力は、2021年9月、福井県に対して、「2023年末まで中間貯蔵施設が確保できない場合は、若狭湾岸の3基の原発を運転停止にする」という方針を示した。

　それでは、再処理工場が稼働できるようになると、放射性廃棄物問題は「解決済み」ということになるのか。もちろん、そうではない。再処理工場で発生するガラス固化体の地層処分についても、まったく、見通しが立っていないのである。経産省・資源エネルギー庁は、2017年6月16日、ホームページに「放射性廃棄物の適切な処分の実現に向けて」と題する広報を掲載した。そして、「高レベル放射性廃棄物には、放射能レベルが十分に減衰するまでに非常に長い時間を要する放射性物質が含まれるため、せいぜい100年しか生きられない人間が、何世代に

もわたって安全に管理し続けることができるとは限りません」と記述し、「人間による管理に委ねずに済むように処分すべきである」とした上で、その方法としては、「地下深くの安定した岩盤に閉じ込め、人間の生活環境から隔離する方法が最適であると、国際的に考えられています」、「日本では地下300ｍ以深の地層に処分することになっています」と続けている。

しかし、激烈な変動帯に位置する日本列島には、「安定した岩盤」などあるのか。たとえあったとしても、幾世代にもわたって、安全に管理し続けることができるのか。政府は、高レベル放射性廃棄物の最終処分地については、「全国公募方式」をとることにした。それに最初に応じようとしたのが、高知県東洋町であったが、町民の激しい反対で公募を取り下げることにした。その後、政府は「まずは調査だけでも」と公募することになり、それに北海道の寿都町と神恵内村が応ずることになった。とはいえ、それらの町村では賛否が拮抗しており、「次の段階」については、見通しがまったく立っていない。

放射性廃棄物の最終処分地については、フィンランドを除くと、どの国も、見通しがまったく立っていない。フィンランドは、5.4億年前の先カンブリア時代以降、大きな変動を受けていない安定大陸に位置しているため、全土が「安定した岩盤」になっているといわれている。そのこともあってこの国の政府は、「100万年先も安全」と語っているが、そのことを誰が確認することになるのか。

日本の原発は、福島原発事故以後、24基の廃炉が決まっている。それによって発生する廃棄物のうち、核燃料のすぐそばにある制御棒や原子炉内部の部品などは、使用済み核燃料と同じような高レベル放射性廃棄物になる。原子力規制委員会は、2016年、「10万年の隔離」を求めることを明らかにした。誰が責任をとるのか。

福島原発では、依然として、高濃度の放射性物質を含んだ汚染水が発生している。政府と東電は、多核種除去設備（ALPS）などを使用し

て、「処理水」を敷地内のタンクに貯蔵している。ところが、施設内貯蔵も限界に近くなったとして、政府は、2023年8月24日から「処理水の海洋放出」を開始した。放出は、今後、数十年は続くとみられている。「朝日新聞（2023年8月22日）」によると、福島県漁連の野崎哲会長は、「私たちは最後の一滴まで反対し続ける」と語ったという。

　「処理水の海洋放出」については、国際原子力機関（IAEA）が2023年7月4日、「処理水は国際的な安全基準に合致している」とした調査報告書を発表した。日本政府は、その「お墨付き」を論拠に、「処理水の海洋放出」を正当化することにしたのである。しかし、その報告書は、「処理水の海洋放出を推奨するものでも、承認するものでもない」とも記載していた。

　「BUSINESS INSIDER（2023年7月28日）」によると、中国大使の呉江浩氏は、「周辺近隣諸国など利益関係者と協議せず、一方的に決定した汚染水の海洋放出は前例がない」、「日本は"各国も原発から汚染水を排出している"というが、それは冷却水であり、事故で溶けた炉心に接触した汚染水ではない」、「溶け落ちた炉心と直接接触した汚染水には60種類以上の放射性核種が含まれ、その多くには有効な処理技術がない」などと記者会見で語っていたという。

　オーストラリア、ニュージーランド、パプアニューギニアなどの太平洋島嶼国が加盟する「太平洋諸島フォーラム（PIF）」の事務局長も、「放射性物質の海洋投棄は、太平洋島嶼国にとって、大きな影響と長期的な憂慮をもたらすものである」と語り、海洋投棄に反対する態度を表明していたという。

　ドイツの「安全なエネルギー供給に関する倫理委員会」がまとめた前掲『ドイツのエネルギー大転換』は、「原発事故の結果は、空間的にも時間的にも社会的にも、限界づけることができません」と記述し、「原発の問題は倫理の問題でもある」との立場をとった。福島原発事故の当事国である日本の政府は、2023年2月10日に「GX脱炭素電源法案」

を閣議決定し、「原発の60年を超えた運転」を可能にすることにした。ドイツの原発は巨大地震とは無縁である。日本の原発は巨大地震とも向き合わざるをえない。「60年を超えた原発」が過酷事故を起こし、大量の放射能汚染水を発生させた場合、誰が「倫理的責任」をとるのか。

（４）原発は供給安定性にも欠ける

　原発は、過酷事故の危険性を、まだ克服できていない。使用済み核燃料の最終処分地の目途も立てないでいる。しかも、世界的な地震国の日本では、「原発震災ゼロ」が求められている。それなのに、日本の政府は、どうして「原発回帰」を急ぐのか。『第6次エネルギー基本計画』は、その理由の一つに、「優れた供給安定性」をあげている。しかし、原発は、本当に供給安定性に優れているのか。

　原発は、太陽光発電のような多極分散型の発電方式ではなく、典型的な一極集中型の発電方式である。だから、何らかの理由で原発が発電不能になると、広域の消費者が「暗闇の夜」を迎えることになる。そのことを、福島原発事故は、生々しく教えてくれた。

　福島原発事故では、東京電力の福島第一原発だけでなく、福島第二原発も運転を停止した。それだけでなく、東京電力の火力発電所も、大きな被害を受けた。このため、東京電力は、「予測不能な大規模停電を回避するため」と称して、2011年3月15日から3月28日まで、「計画停電」を実施した。官房長官を務めていた枝野幸夫氏は、2011年3月14日の記者会見において、「今回の計画停電については、周知期間が短く、対象となる人口が非常に多いこともあり、開始にあたって若干の混乱も予想されます」、「こうした中、人工呼吸器をお使いの方々など、停電により支障が生じる患者さんなどもおられます」などと語ったあとで、「節電への協力」を要請した。

　南海トラフ巨大地震では、前兆現象などが確認された場合、「地震臨時情報」が発表されることになっている。内閣府は防災ページに、「そ

のような地震臨時情報が発表された際には、1週間の事前避難を行う必要があります」と記述している。再稼働することになった四国電力の伊方原発と関西電力の若狭湾岸原発群は、どのような対応をとることになるのか。伊方原発は震度7の地震動が想定されている。最強の地震動によって、送電網が切断される危険性はまったくないといえるのか。

　一極集中型の原発には、もう一つの不安がつきまとう。原発が戦争に巻き込まれたらどうなるのかである。そのような「悪夢」は、2022年2月以降、「正夢」になってしまった。ウクライナ政府は、2022年2月24日、ロシア軍がチョルノービリ原発を制圧したと国際原子力機関（IAEA）に報告した。原発には使用済み核燃料が残っていた。一時期、同原発の送電線が破壊され、外部電源が断たれる事態を招いた。しかし、ウクライナの送電線管理者たちの奮闘によって、何とか「過酷事故への暴走」は回避された。その後、ロシア軍は北部地域から撤退し、チョルノービリ原発の管理権は、2022年3月31日にはロシア軍からウクライナ軍に引き渡された。

　そのチョルノービリ原発よりも、さらに危険な事態に直面したのは、南東部にあったザポリージャ原発であった。この原発は、100万kW級の原発6基が稼働しており、総出力はヨーロッパ最大といわれていた。その原発を支配下におこうとしたロシア政府は、2022年3月2日、「ザポリージャ原発周辺地域を制圧した」と国際原子力機関（IAEA）に通告した。その戦闘で、原子炉の冷却を支えてきた送電線が破壊され、発射物が1号機から300mの地点に着弾した。プーチン大統領は、2022年10月5日、「ザポリージャ原発を監督下に置く法令」に署名した。ウクライナと欧米諸国は、ウクライナ軍の反攻に対して、「核の盾」として利用するのではないかと懸念している。

　原発は、過酷事故が発生すると、電力を安定的に供給できなくなる。そのような事態は、原発が戦争に巻き込まれると、当たり前のように起こることになる。それだけでなく、「核の盾」として悪用される恐れも

あり、「安定した平和」を脅かす危険性を秘めている。

　それに対して、自然災害や戦争があっても、安定供給を続けられる発電方式として、このところ太陽光発電と風力発電が、改めて評価を高めている。京都大学特任教授の安田陽氏は、『世界の再生可能エネルギーと電力システム』（インプレスＲ＆Ｄ）の中で、「2011年の東日本大震災では、日本風力発電協会（JWPA）会員企業が所有する199の風力発電所（1150基）のうち、地震により運転不能となった風車は1基もなく、2018年の北海道ブラックアウトの際にも、自宅の屋根に太陽光パネルをつけていた家庭の約85％が停電後に手動で自立運転モードに切り換えることができ、停電時に有効に活用できたと多くの人がアンケートに回答しています」（p 40）と報告している。「再エネ発電は災害やテロに対するレジリエンス（耐久力）を持っている。一極集中型の火力発電や原発とは異なり、災害時には自家発電が可能になる」というのである。

（5）原発は「最安の電源」でもない

　原発は「平時」でも、過酷事故の危険性を否定できず、放射性廃棄物の処分も見通せていない。「戦時」になると、過酷事故の危険性がさらに強まり、「破局的な結末」を招くことも懸念される。しかも、日本は世界的な地震国であり、原発震災の危険性を秘めている。それなのに、歴代の日本の政府は、どうして原発に頼ろうとするのか。

　経産省資源エネルギー庁は、2018年3月14日、ホームページに「資源エネルギー庁がお答えします！　原発についてよくある3つの質問」と題する広報を掲載し、「事故処理費などを加えても、原発は、他の電源よりも安いという結果になっています」と記述していた。

　確かに、2021年12月28日に発表した広報は、2020年の電源別発電コスト（1kWh当たり）について、「原子力＝11.5円〜」、「陸上風力＝19.8円」、「太陽光（事業用）＝12.9円」、「太陽光（住宅）＝17.7円」という数値を掲げている。

　しかし、2030 年の電源別発電コスト（1kWh 当たり）については、「原子力 = 11.7 円〜」、「陸上風力 = 9.8 〜 17.2 円」、「太陽光（事業用）= 8.2 〜 11.8 円」、「太陽光（住宅）= 8.7 〜 14.9 円」という数値も掲げている。原発の「11.7 円〜」というのは、過酷事故等が起こると、「11.7 円以上になる」ということである。経産省資源エネルギー庁も、「2030 年になると、風力発電や太陽光発電のコストは、原発よりも安くなる可能性がある」という。それでは、「2030 年のその先」は、どうなるのか。

　国際エネルギー機関（IEA）は、2021 年 5 月 18 日、前掲『特別報告書』を発表した。それによると、2050 年の発電コストは、アメリカでは、太陽光が 2 セント /kWh、陸上風力が 3 セント /kWh、洋上風力が 6 セント /kWh になるというのに、原子力は 11 セント /kWh にとどまるという。ヨーロッパでは、太陽光が 2.5 セント /kWh、陸上風力が 4 セント /kWh、洋上風力 2.5 セント /kWh になるというのに、原子力は 11.5 セント /kWh にとどまるという。中国では、太陽光が 1.5 セント /kWh、陸上風力が 4 セント /kWh、洋上風力が 3 セント /kWh になるというのに、原子力は 6 セント /kWh にとどまるという。外国為替相場を調べてみると、2021 年 5 月現在の 1 セントは、日本円換算すると 1.09 円だった。2050 年の発電コストは、太陽光が 1.6 〜 2.7 円 /kWh であるのに対して、原子力は 6.6 〜 12.6 円 /kWh になるというのである。

　国際エネルギー機関（IEA）は、再エネの発電コストは、めざましい技術革新にともなって急低下していくのに対して、原発の発電コストには、そのような劇的な変化は期待できないと予測している。それだけでなく、「安全性を高めるためのコスト」は増大する一方であり、原発の発電コストは、IEA の予測を上回る可能性もある。

　資源エネルギー庁は、「事故処理費などを加えても、原発は、他の電源よりも安くなる」といい、「事故処理費」を 12.2 兆円としていた。しかし、公益社団法人の日本経済研究センターは、2017 年 3 月 7 日、「事故処理費は 50 〜 70 兆円になる」という見通しを発表した。

東北大学教授の明日香壽川氏は、2023年2月14日、原子力市民委員会の連続オンライントークにおいて、「原発と再エネのコスト：国内外の議論の最前線」と題する報告をおこなった。「しんぶん赤旗（2023年3月17日）」によると、その中で、「再エネの新設発電コストは、原発の新設発電コストの数分の一というのが、いまや世界の常識です。原発と再エネの新設コストでは、米エネルギー情報局が2倍、ラザードという投資銀行で3〜8倍、経済、金融など米大手情報サービス社ブルームバーグは5〜13倍です」と報告したという。そうだとすると、「2050年カーボンニュートラル」の最終年になると、原発と再エネ発電のコスト差は、どこまで開くことになるのか。

（6）脱原発で温暖化を止める

　原発の60年超の運転を可能にする「GX脱炭素電源法案」が、2023年4月27日、自民党、公明党、日本維新の会、国民民主党などの賛成多数で、衆議院本会議において可決された。

　その法案の趣旨は、「ロシアのウクライナ侵略に起因する国際エネルギー市場の混乱や国内における電力需給ひっ迫等への対応に加え、グリーン・トランスフォーメーション（GX）が求められる中、脱炭素電源の利用促進を図りつつ、電気の安定供給を確保するための制度整備が必要です」としたうえで、「原子力の活用に向けて、関連する法律を改正します」と記述している。「グリーン・トランスフォーメーション（GX）」というのは、「化石燃料から再エネへのエネルギー転換をはかりながら、経済社会のシステム全体を変革しようとする取り組み」を指す用語であるという。「いま、当面のエネルギー問題の解決だけでなく、GXへの取り組みが求められている。それに対応するために、GX脱炭素法案を整備する必要が生じている」というのである。

　その法案の一つである電気事業法は、「原子力発電の運転期間は40年とした上で、安定供給確保、GXへの貢献などの観点から経済産業大臣

の認可を受けた場合に限り、運転期間の延長を認めることにします」としたうえで、「その際、"運転期間は最長で60年に制限する"という現行の枠組みを維持した上で、原子力事業者が予見し難い事由による停止期間に限り、60年の運転期間にカウントから除外することにします」と記述している。「原発の運転期間は、原則、40年ではある。しかし、経産大臣が認可した場合は、運転期間を60年に延長できる。それだけでなく、運転を停止した期間についても、その期間を運転期間に加えることができる」というのである。「運転を停止した期間」は、2011年以降、最長で12年以上が経過している。その期間を加えると、70年以上の運転期間が認可される原発もある、というのである。

　日本世論調査会は、2023年3月4日、「原発に関する世論調査」を発表した。それによると、「原発を最大限活用する」という政府の方針については、「評価する」は34％にとどまり、「評価しない」が64％に達している。「廃炉が決まった原発の建て替えなどの開発・建設の推進」については、「賛成」が38％、「反対」が60％となっている。「60年を超える運転期間の延長」については、「支持する」が27％にとどまり、「支持しない」が71％に達している。

　「GX脱炭素電源法案」は、多数の国民の意向を無視したまま、「国権の最高機関」で採択されることになったのである。しかし、「原発を最大限活用する」といい、老朽原発の再稼働を強行することが、日本の「国益」になるのか。

　東京大学名誉教授の井野博満氏は、前掲『原発を終わらせる』の中で、「放射線による圧力容器の照射脆化」を警告していた。縦横にはぐりめぐらされた細管の脆化は、細管の交換によって、何とか解決できるかもしれない。しかし、原子炉の圧力容器は、交換されることはない。老朽原発の圧力容器は、放射線の照射に、どこまで耐えられるのか。日本は世界に冠たる地震国であり、南海トラフ巨大地震の発生も、刻々と迫っている。30年以内の発生確率は、70〜80％と推定されている。老

朽原発は、その激震に、耐えられるのか。青森県の下北半島にも原発と再処理施設が立地している。その近くを走る日本海溝・千島海溝でも、マグニチュード 9.3 とマグニチュード 9.1 の巨大地震の発生が想定されている。放射性廃棄物の処理についても、見通しがまったく立っていない。最新の『第 6 次エネルギー基本計画』も、「万全の避難計画」を立てることを求めている。それなのに日本の政府は、どうして老朽原発の再稼働を強行しようとするのか。「GX 脱炭素電源」には再エネ由来の電源もあり、「GX 脱炭素法案」も、「地域と共生した再エネの最大限の導入促進」を掲げている。それなのに、電源構成に占める再エネ比率の目標は、ドイツと比べると、圧倒的に低いままなのである。

　2023 年 4 月 15 日に「原発ゼロ」を実現したドイツは、前掲『ドイツのエネルギー大転換』（大月書店）の中で、「ドイツ国内における原子力のリスクを将来的になくしていくためには、脱原発が必要であり、また推奨されます。リスクのもっと小さな代替手段がある以上、脱原発は可能です」（p 21）といいきっている。「リスクのもっと小さな代替手段」というのは、ほかでもない、「再エネ由来の発電」である。ドイツは、電源構成に占める「再エネ由来の電源」の比率を、2030 年には 85％、2035 年にはほぼ 100％にしようとしている。その一方で日本は、2030 年の電源構成に占める再エネの比率を 36 〜 38％に抑え、原子力の比率を 20 〜 22％に高めようとしている。ドイツと日本では、「リスクのもっと小さな代替手段」への姿勢が、まったく異なっているのである。その地域差を、主権者である国民は、どのように受け止めたらいいのか。

　「GX 脱炭素電源法案」は、「グリーン・トランスフォーメーション」が「時代の要請」であることを認め、「再エネの最大限の導入促進」を掲げてはいる。しかし、それ以上に力を入れているのは、「原子力の活用の推進」である。しかも、老朽化した原発の運転期間を、60 年を超えて延長しようとしているのである。「東京新聞」（2023 年 4 月 21 日）の社説は、「3.11 以前への回帰であり、"フクシマはもう忘れよう"と、

政府として宣言するようなものではないのか」と論説している。

「グリーン・トランスフォーメーション（GX）脱炭素電源」という語句は、直訳すると、「緑の変革を促す脱炭素電源」ということになる。原発は、確かに、「脱炭素電源」の一つではある。しかし、「緑の電源」といえるのか。「緑の電源」というのは「自然環境を破壊しない電源」を意味することになるが、放射性廃棄物を排出し続ける原発は、「自然環境を破壊しない電源」といえるのか。過酷事故の発生確率をゼロにできない原発は、過酷事故が発生すると、長期にわたって自然環境を破壊し続ける。福島原発事故では、いまなお、３万人以上の住民が故郷に帰れないでいる。そのような悲惨な事態を招く原発は、断じて、「自然環境を破壊しない電源」などではありえない。

そうだとすると、いまのような電化生活を持続しようとすると、どのような選択肢がありうるのか。「GX脱炭素法案」は、「地域と共生した再エネの最大限の導入促進」をうたい、「再エネ導入に資する系統整備のための環境整備」、「既存再エネの最大限の活用のための追加投資促進」、「地域と共生した再エネ導入のための事業規律強化」などをあげている。そうであるなら、それらを「国権の最高機関＝国会」における徹底した審議を踏まえて、主権者である国民・住民とともに、真摯に推進すればいいのである。脱原発で脱炭素を推進すれば、間違いなく、生活環境を守りながら、地球温暖化を止めることができるはずである。

内閣官房は「計画から稼働までの期間」という資料を、ネット上で公開している。それによると、原発の「計画から稼働までの期間」は、約20年とのことである。IPCCは、2023年３月24日、「地球温暖化を1.5℃に抑えるためには、2019年と比べたCO_2の排出量を、2030年には48％、2040年には80％、それぞれ減らす必要がある」と報告した。そのような緊迫した気候危機を前にして、新規の原発の建設は、有効な対策になりうるのか。前掲の内閣官房の資料によると、「計画から稼働までの期間」は、太陽光発電は２〜３ヵ月、陸上風力発電は４〜５年との

ことである。地球温暖化を 1.5℃ に抑えるためには、何が求められているのか。「正解」は、すでに、はっきりしているはずである。

（7）ドイツは脱原発で脱炭素をめざす

　自公政権の西村経産大臣は、2023 年 4 月 14 日の閣議後の記者会見において、「ドイツは再エネの取組を強化するなどして、全ての原発を停止した。それなのに、日本は、どうして原発再稼働に向かうのか」と質問された際に、「福島の事故の教訓、反省を忘れることなく、エネルギー政策を進めていく」と答えていた。しかし、「福島の教訓をどう生かすか」については、何も語らなかった。また、「ドイツは脱原発を完了したが、日本は原発推進の政策を打ち出している。どうしてか」と質問された際に、「ドイツは、ロシアからのガスの供給削減を受けて、石炭の使用を増やしている。ドイツは、ヨーロッパの送配電網と結びついているため、不足分を原発に依存しているフランスから買える」と答えていた。

　確かに、ヨーロッパ諸国は、大陸規模の送配電網でつながり、電力の過不足分を補い合っている。しかし、ドイツ連邦統計局の統計を見る限り、ドイツは 2008 年以降、一貫して「電力輸出超過国」であり続けている。ドイツとフランスの間の電力輸出入についても、2020 年から 2022 年にかけては、ドイツは「電力輸出超過国」であり、フランスは「電力輸入超過国」であった。

　ドイツは確かに、ロシアのウクライナ侵攻後、石炭火力を再稼働させた。しかし、そのことについては、G 7 気候エネルギー環境大臣会合で来日したドイツ経済気候保護省次官は、「テレ朝 news（2023 年 4 月 23 日）」に登場して、「ドイツは、ロシアによるウクライナへの侵略戦争の影響で、ひと冬だけ石炭火力の利用を増やしました。ただ、それはあくまで戦争が起きている間に限定したものです。2030 年までに全ての石炭火力からの撤退を目指しています。だからこそ、我々は今、再生可能

エネルギーを加速させています。2030年までに80％を再生可能エネルギーでまかなう予定です」と語っていた。ドイツの連邦議会は、2022年7月、「再生可能エネルギー法」などを採決し、「再エネ発電の比率を、2030年には80％、2035年以降にほぼ100％とする」という目標を策定した。その方針は、いまも、堅持されているのである。

　ロシアのウクライナ侵攻が、いつまで続くかは不明である。しかし、「ロシアのウクライナ侵攻」と「2050年カーボンニュートラル」とでは、時間スケールに大きな違いがあるはずである。その時間スケールの違いを無視して、「ロシアのウクライナ侵攻」を、「原発回帰」の論拠にしてはならない。

第4章
再エネ革命で豊かな世界を

　国際社会は、地球温暖化を止めるために、「2050 年カーボンニュートラル」をめざして動きだしている。しかし、国際社会は、再エネ革命を加速させることができるのか。再エネ革命を加速させるためには、それをバックアップする国際機関が、必要ではないだろうか。どうなっているのか。再エネ革命を加速させるためには、相応の投資が求められる。EU と加盟国、アメリカ、中国、日本では、そのために、どのような政策が進められているのか。再エネ革命を加速させるためには、化石燃料文明を終わらせる仕組みも必要である。どのような動きがあり、どのような対策が進められているのか。

　国際社会は、地球温暖化を止めるために、再エネ革命を加速させようとしている。しかし、再エネ革命は、地球温暖化対策にとどまるものではない。IPCC の最新の『評価報告書』は、「多くの共便益（コベネフィット）がある」という。何があるのか。国際社会は、いま、「持続可能な開発目標（SDGs）」の達成をめざして、動き出している。再エネ革命は、その動きと、どのように連動するのか。

　この章では、以上のような疑問について、最新の資料を集めて、「正解」を探してみることにする。

Ⅰ．再エネ革命をさらに加速させる

（1）ロシアは再エネ革命の加速を促す

　国連事務総長のアントニオ・グテーレス氏は、「朝日新聞デジタル（2022年7月5日）」に寄稿して、「必要なのは再エネ革命」と訴えた。「私たちは、化石燃料にいまだに依存している。私たちの社会と地球の健康のために、今すぐに止める必要がある。エネルギー安全保障、安定した電力料金、繁栄、居住可能な地球へと至るただ一つの真の道筋は、汚染を引き起こす化石燃料を捨てて、再生可能エネルギーを基盤としたエネルギー移行を加速することだ」と力説した。そして、「再生可能エネルギーへの投資を3倍にする必要がある」と述べて、多国間開発銀行、開発金融機関、商業銀行などに、「再生可能エネルギーへの投資の大幅な強化」を求めた。

　国際エネルギー機関（IEA）のビロル事務局長は、2022年9月27日、日本エネルギー経済研究所主催の「国際エネルギー・シンポジウム」で講演をおこない、「世界は今、未曾有のエネルギー危機に直面している」との認識を示したうえで、「現在のグローバルなエネルギー危機は、クリーンで安全なエネルギーへの転換点となる」と指摘した。その「エネルギー危機」に直面し、「禍」を「福」に転じさせるために、「クリーンで安全なエネルギーへの転換」を加速させることにした国がある。ロシアの天然ガスに依存してきたドイツである。

　ドイツは、ロシアのウクライナ侵攻以前の2021年、輸入した天然ガスの60.3％をロシアに依存していた。ロシアの天然ガス産地とドイツとの間には、「ノルドストリーム」と呼ばれる天然ガスパイプラインが走っている。ドイツは、そのパイプラインを通じて、「割安な天然ガス」を輸入していたのである。しかし、ロシアのウクライナ侵攻後、ロシアは経済・金融制裁への報復措置として、天然ガスの供給を一方的に

停止することにした。このためドイツでは、天然ガス価格が急騰し、電力の小売価格も高騰した。ドイツの政府は、ロシアが天然ガスを「政治的な武器」として利用することはないと、思い込んでいたのである。しかし、その思惑は、プーチン大統領の「特別軍事作戦」によって、完全に破綻することになった。そのことに遅ればせながら気づいたドイツは、エネルギー政策を大転換させることになった。

「朝日新聞デジタル（2023年3月1日）」によると、連邦経済気候保護省のロベルト・ハーベック大臣は、2022年4月、「2035年には、電力消費量のほぼ100％を再エネでカバーする。そのために、2022年から2030年までの再エネ発電設備容量の増加幅を、過去10年間の増加幅の3倍以上に引き上げる」という方針を発表した。再エネの太陽光と風力は、「純国産のエネルギー」である。ドイツは、今回のエネルギー危機を貴重な教訓として受け止め、「純国産の再エネ」の資源化を急ぎ、エネルギーの安全保障を確立することにしたのである。

そのようなエネルギー政策の大転換は、EUにも広がった。EUのヨーロッパ委員会は、2022年5月18日、エネルギーの脱ロシア依存をめざす脱却計画「リパワーEU」の具体策を発表した。その際に、EU委員長のフォン・デア・ライエン氏は、「再生可能エネルギーと水素への切り換えが早ければ早いほど、エネルギー効率を高めれば高いほど、私たちは真の意味で自立できる」と述べたという。具体策の主柱になったのは「再エネ革命の前倒し」であり、2030年には最終エネルギー消費に占める再エネの比率を、45％に引き上げることを提案している。再エネの比率は、電力需要に限ると、69％になる。その主役として期待されているのは太陽光発電であり、ヨーロッパ委員会は、新設の公共・商業建物と住宅への太陽光発電施設の設置を義務化することにした。また、風力発電への期待も大きく、その導入目標を2030年で480GW、2050年で1000GWとした。1GWというのは100万kWである。100万kW級の原発1000基分の風力発電施設を、2050年までに整備することにした

のである。

　EU の加盟国は、ロシアのウクライナ侵攻をきっかけとしたエネルギー危機に対処するため、再エネの主力電源化を前倒しすることになった。しかし、化石燃料から再エネへのエネルギー転換は、EU とその加盟国だけではなく、パリ協定に賛同した全世界の共通した目標になっているのである。

（2）再エネ革命を支える国際機関

　国際エネルギー機関（IEA）は、2021 年 5 月 18 日、特別報告書『2050年までのネットゼロ：世界のエネルギー部門のロードマップ』を発表した。その中で、「これまでの各国政府による気候変動の公約がたとえ達成されたとしても、2050 年までに世界のエネルギー関連の CO_2 排出量をネットゼロにすることはできず、世界の気温上昇を 1.5℃以下に抑えることはできない」と指摘し、「化石燃料に代わって太陽光や風力などの再生可能エネルギーの資源化など、エネルギー部門の大規模な変革を進めなくてはならない」と勧告した。そして、「今後のエネルギー動向」については、「化石燃料に代わって、エネルギー部門は再生可能エネルギーが主役になる」、「2050 年の総エネルギー供給量の 2/3 が風力や太陽光、バイオエネルギー、地熱、水力由来となり、なかでも太陽光が最大のエネルギー源になる」という見通しを示した。

　IEA は、1974 年の第一次石油危機の際に、石油供給の国際的な安定のために、経済協力開発機構（OECD）によって設立された組織である。そのこともあって、これまでは、化石燃料業界寄りの立場から保守的な報告書を発表してきた。その IEA が、前掲の『特別報告書』では、「化石燃料に代わって、再エネを主役にすべき」と主張したのである。そのような「華麗なる変身」は、化石燃料業界に衝撃をもたらしただけでなく、化石燃料業界をバックにしてきた「地球温暖化懐疑・否定」論の立場をさらに危うくすることになった。IEA は、「原子力発電

は 2050 年カーボンニュートラルに大きく貢献する」としながらも、「太陽光と風力発電が先頭に立ち、再生可能エネルギーの比率を 2050 年までに 90％近くまで押し上げ、原子力が再生可能エネルギーを補完する」と続けている。そして、クリーンな発電を「投資を増やすための重要な分野」と位置づけ、「前例のないクリーンエネルギー投資が世界の経済成長を押し上げる」と続けている。

　もう一つの国際的なエネルギー機関である国際再生可能エネルギー機関（IRENA）は、その名称の通りに、「再エネ革命の飛躍的な展開」を、全力をあげて促そうとしている。この機関は、福島原発事故直後の 2011 年 4 月、ドイツ、スペイン、デンマークの呼びかけで設立された。しかし、途上国にも加盟を積極的に呼びかけ、いまでは 163 ヵ国が加盟している。23 ヵ国は、まだ批准していないが、署名は終えている。ほとんど全世界が署名を終えた国際機関なのである。国際エネルギー機関（IEA）は、参加要件が「OECD 加盟国」となっているため、加盟国は 38 ヵ国にとどまり、事務局本部もパリに置かれている。その一方、IRENA は、事務局本部をアラブ首長国連邦のアブダビに、技術センターをドイツのボンに置いている。

　IRENA の「憲章」は、「再生可能エネルギーが、大気中の温室効果ガスの濃度を減少させ、それにより気候系の安定化に貢献し、及び低炭素経済への持続可能、確実かつ緩やかな移行を可能とするため、主要な役割を果たすことを確信し」と述べ、「持続可能な開発のため、再生可能エネルギーの採用が広範に行われ、かつ、増大すること及び再生可能エネルギーを利用することが促進されることを希望し」と設立の目的を明確にしている。その IRENA に、このところ、IEA の主張が近づいているとみられている。

　IRENA は、2021 年、『世界エネルギーの転換展望　1.5℃への道筋』を発表し、「2030 年までに世界の温室効果ガスの排出量を 2010 年比で 45％削減しなければならないことは、科学的に明らかになっていること

です。しかし、最近の傾向を見ると、残念ながら現状と目標のギャップが広がっています。私たちは間違った道筋を歩んでいるのです。今こそ、進路を変えなくてはなりません」と指摘し、早急に間違いを正すことを提言している。それだけでなく、「ほんの数年前まで、国際再生可能エネルギー機関（IRENA）が支持する再生可能エネルギーを中心としたアプローチは、あまりに進歩的かつ理想主義的で、もはや非現実的とまで考えられていました。しかし、今日、私たちのビジョンはメインストリームとなり、気候危機から免れる唯一の現実的な方法として受け入れられています」といい、「再エネ革命の時代」が到来したことを誇らかにうたいあげている。

（3）「緑の投資」で「緑の変革」を

　国際エネルギー機関（IEA）は、前掲の報告書『2050年までのネットゼロ』の中で、「2050年ネットゼロを達成するためには、2030年までに毎年約4.4兆ドルのクリーンエネルギーへの投資が必要である」といい、「再エネへの投資の拡大」を提言している。国際再生可能エネルギー機関（IRENA）も、2022年3月29日に発表した「プレスリリース」の中で、「再エネへの転換を実現するためには、2030年までに年間5.7兆ドルの投資が必要になる」と論述している。それだけでなく、「エネルギー転換への投資は2030年までに世界の雇用を8500万人近く押し上げ、実質的な社会経済的、福祉的利益をもたらすと予測されます」といい、「再生可能エネルギーなどで創出される雇用は、化石燃料産業における雇用消失1200万人を大きく上回ると見られています」と続けている。このような考え方にもとづいて、再エネ革命と経済社会の変革を同時的に達成しようとする政策は、「グリーン・ニューディール（Green New Deal = GND）」と呼ばれている。そのグリーン・ニューディールは、いまでは、ヨーロッパやアメリカだけでなく、アジアにも広がっている。

EUとその主要な加盟国は、これまでも、温暖化対策と再エネ革命を先導してきた。そのEUの委員会は、2019年12月、「ヨーロッパ・グリーン・ニューディール」を発表した。この政策は、「EUを世界で初めての気候中立的な大陸にする」という目標を掲げ、「コロナ禍からの復興」をもねらって、総額で7500億ユーロ（約94兆円）のヨーロッパ復興基金を創設した。それにEUの中期予算1.1兆ユーロ（約138兆円）を加えて、再エネ革命を加速させることにしたのである。フォン・デア・ライエン委員長は、政策の発表に当たって、「経済や生産・消費活動を地球と調和させ、人々のために機能させることで、雇用創出とイノベーションを促進する」と語った。

EUの委員会がグリーン・ニューディールを発表した直前の2019年11月4日、アメリカのトランプ大統領は、パリ協定からの離脱を国連に正式通告した。トランプ氏は、2017年1月9日の就任後、オバマ元大統領が進めた化石燃料分野の規制を緩和し、原油パイプラインの建設計画を推進した。しかし、そのトランプ氏は、2020年11月3日の大統領選挙で、民主党のバイデン氏に敗北した。バイデン大統領は、就任直後の2021年2月19日、パリ協定への復帰を実現した。そして、「実質的なグリーン・ニューディール政策」を発表し、再エネ革命を急展開することを表明した。「2050年にはCO_2排出量を実質ゼロにする」、「2035年には電力分野のCO_2排出量を実質ゼロにする」、「4年間で2兆ドル（約210兆円）を投資して、雇用を創出し、環境正義を実現する」と宣言したのである。

バイデン氏は、オバマ政権時代、副大統領を務めていた。しかし、地球温暖化問題への姿勢は、あまり前向きなものではなかった。そのようなバイデン氏を大きく変えたのは、大統領候補を争った民主党「急進派」のグリーン・ニューディール政策であった。「急進派」をリードしてきた上院議員のサンダース氏は、2019年8月、独自のグリーン・ニューディール政策を発表し、「2030年までに電力と輸送を100%、再

エネに変換する」、「2050年までに経済の完全な脱炭素を実現する」、「再生可能エネルギーに1.52兆ドル、エネルギー貯蔵能力を増大させるために8520億ドルを投資する」、「気候危機の解決に必要な2000万人の雇用を創出する」などと宣言していた。バイデン大統領は、そのような「急進派」の政策提言をも取り入れて、2021年1月27日、「気候危機に取り組むための大統領令」に署名した。その大統領令には、「国有地での新規の石油・ガス採掘の停止」、「化石燃料への補助金の廃止」、「温暖化対策のための連邦予算の40％を先住民や貧困者が住む地域に投入」などの政策が組み込まれていた。

　アメリカのグリーン・ニューディール政策は、いまも、大統領選挙に勝利した民主党政権のもとで進められている。その大統領選挙が、今後、どのように展開するかは不明である。しかし、アメリカに拠点を置くシンクタンクの「ピュー・リサーチ・センター」が2023年4月18日に発表した調査結果によると、「バイデン政権が掲げる2050年までの脱炭素」については、回答者の69％が「支持する」を選択したという。また、回答者の69％が「風力発電や太陽光発電などの再生可能エネルギーの開発を優先すべき」を選択したという。このような国民世論が生き続けている限り、たとえ共和党への政権交代が起こったとしても、CO_2排出量が世界第2位のアメリカの地球温暖化対策が、「トランプ時代」に戻るようなことはないはずである。

　それでは、CO_2排出量が世界第1位の中国は、地球温暖化とどう向き合っているか。中国の地球温暖化対策は、欧米諸国や日本などとは異なり、国家首席の主導のもとで進められている。習近平主席は、2020年9月22日、国連総会で「中国は、2030年以前にCO_2排出量をマイナスに転じさせ、2060年にはカーボンニュートラルを達成する」というテレビ演説をおこなった。しかし、中国の電源別発電量（2020年）を調べてみると、石炭火力発電が63.7％を占め、太陽光・風力発電は9.4％にとどまっていた。それを2050年には、石炭火力発電を5.4％、風力発電を

38.5％、太陽光発電を 21.5％に変えようというのである。そのようなエネルギーの大転換は、はたして、実現可能なのか。

　朝日新聞（2021 年 5 月 27 日）に登場した、世界大手の太陽光電池製造企業・通威グループ主席の劉漢元（リウ・ハンユワン）氏は、「時期を繰り上げて達成できるだろう。最大の理由はコストだ。太陽光の発電にかかるコストは 10 年前と比べ 30 分の 1 になった。昨年はすでに太陽光の 80％は政府の補助なしで石炭の発電と同じレベルまで下がり、今後 5 年でさらに太陽光の発電コストは 3 分の 1 以上は下げられる」と語っていた。

　国際再生可能エネルギー機関（IRENA）のカメラ事務局長は、2023 年 5 月 2 日、新華社の単独インタビューに応じて、「中国は世界のエネルギー転換と持続可能な発展の促進において、カギとなる役割を果たしている」と語ったという。IRENA が発表した『再生可能容量統計 2023』によると、世界における 2022 年の再エネ発電の新規導入容量のうち、約 48％を中国が占めていたという。また、2022 年に世界で新規導入された太陽光発電設備の 45％、風力発電設備の約 50％、バイオマス発電設備の 57％が中国で設置されたという。そのためには、当然のことながら、莫大な投資が必要であった。中国が 2013 〜 2020 年に投入した再エネ関連投資額は、世界の投資総額の 23 〜 39％を占めていたという。そのような先行投資は太陽電池製造企業の成長を促し、現在、太陽電池生産の世界トップ 10 社のうち 8 社が中国企業になっている。風力発電機業界では、これまでは、ヨーロッパ系企業が優勢であった。しかし 2022 年になると、中国系企業がトップ 10 社のうち 6 社を占めるまでになり、中国企業の金風科技が首位に躍り出た。

　中国政府は、2003 年には風力発電の発展を促す価格政策を取り入れ、2006 年には「再生可能エネルギー法」を策定した。また、2009 年には風力発電に固定価格買取制度（FIT）を取り入れ、2011 年には太陽光発電にも固定価格買取制度を取り入れた。とはいえ、再エネ発電の最適地

は北部や西部に集中し、電力需要が集中しているのは東部沿岸地域である。このため、再エネ電力の「余剰化」が生じ、電力会社が発電事業者に対して、出力停止や出力抑制を求める事態が頻発するようになった。そこで、2022年6月1日に発表された「第14次5ヵ年再生可能エネルギー発展計画」では、「広域送電網強化計画」が採用されることになった。

前出の劉漢元氏は、前掲の朝日新聞（2021年5月27日）において、「低コストという再エネの経済合理性に加え、中国では習主席が指示して断固として実行させれば、60年に温室効果ガスの排出を実質ゼロにする目標は5〜10年前倒しで実現できる」とも語っていた。

ヨーロッパの気候シンクタンクがつくる「クライメート・アクション・トラッカー」（CAT）は、2020年9月23日、「中国の習近平主席が表明した"2060年までの温室効果ガス実質排出ゼロ"を達成した場合、世界の気温上昇幅を0.2〜0.3℃引き下げることができるだろう」という試算を発表した。国際社会は、2021年に開催されたCOP26において、「世界の気温上昇の幅を1.5℃に抑える努力を追求する」というグラスゴー合意を成立させた。国際社会がその合意を達成し、中国が「習近平指示」をやりとげることができれば、世界の気温上昇の幅を1.5℃未満に抑えることも、不可能ではなくなるはずである。

欧米諸国だけでなく中国も、「緑の投資」を増強して、再エネ革命を前倒ししようとしている。そのような動きに押されて、日本の国会も2023年5月12日、「脱炭素成長型経済構造への円滑な移行の推進に関する法律（GX推進法）」を可決した。GX（Green Transformation）とは何か。直訳すると「緑の変革」ということになる。経産省の「ウエブマガジン（2023年1月17日）」は、「再エネの活用を進め、CO_2の排出量を減らしながら、そうした活動を経済成長の機会にするため、世の中全体を変革していく取り組みのこと」と説明している。また、経産省の『GX実現に向けた基本方針（案）について』（2023年2月2日）は、「世

界におけるカーボンニュートラル宣言の状況」との項目の中で、「世界
では、カーボンニュートラル目標を表明する国・地域が急増し、その
GDP 総計は世界全体の約 90％を占めている」、「こうした中、欧米をは
じめとして、GX に向けた大規模な投資競争が激化している」、「GX 投
資等による GX に向けた取組の成否が、企業・国家の競争力に直結する
時代に突入している」と記述している。「"緑の変革" を急がないと、日
本は競争力を失う」というのである。それでは、どうするのか。「今後
10 年間に、国が約 20 兆円の先行投資をおこない、150 兆円超の官民投
資をおこなう」というのである。財源をどうするのか。「炭素に対する
賦課金（炭素税）でまかなう」という。「カーボンプライシングを導入
する」というのである。しかし、「脱炭素のエネルギー」には、再生可
能エネルギーだけでなく、原子力、水素・アンモニアも含まれている。
「水素・アンモニア」は、再エネ由来でないと、「緑のエネルギー」には
ならない。原子力については、日本の国会は 2023 年 4 月 27 日、「原発
の最大限の活用」を可能にする「GX 電源法案」を可決していた。老朽
原発による電力は「緑のエネルギー」になるのか。「緑の変革」は、い
ま、その内実が厳しく問われている。

（4）石炭火力を段階的に廃止する

　IPCC の『第 6 次評価報告書』は「人為起源温室効果ガス総排出量に
占めるガス別排出量の内訳（2019 年）」という統計を掲載していた。そ
れによると、化石燃料起源の CO_2 が全体の 64％を占めていた。それを
受けて、IPCC の『第 6 次評価報告書』は、「化石燃料の消費をやめれ
ば、地球温暖化を止めることができる」と教えてくれた。とはいえ、世
界の 1 次エネルギー（2021 年）に占める石油の比率は 31％、石炭の比
率は 27％、天然ガスの比率は 24％であり、それらを合計すると 82％に
達していた。世界の電源構成（2020 年）に占める石油の比率は 2.1％、
石炭の比率は 35.4％、天然ガスの比率は 23.7％であり、それらを合計す

ると 61.2 ％に達していた。地球温暖化を止めるためには、何としてで
も、それらの化石燃料由来の発電を廃止しなければならない。どうした
らいいのか。

　実は、化石燃料由来の発電というが、それらの発電も、化石燃料の種
類によって CO_2 排出量が異なる。石炭の CO_2 排出量を 100 とすると、
石油は 75、液化天然ガスは 55 になる。それらの数値を踏まえると、「最
悪の CO_2 排出源」は、石炭だということになる。そこで、国際社会は、
まずは「石炭の段階的廃止」をめざすことになった。

　イギリス政府とカナダ政府は、2017 年 11 月にドイツのボンで開催さ
れた COP23 において、石炭の段階的な廃止をめざす国際的連盟である
「脱石炭同盟」を発足させた。この国際的連盟には、2023 年 9 月末現在、
50 ヵ国と 49 自治体等が参加し、フランス、ドイツ、イタリア、スペイ
ンなどのヨーロッパ諸国のほかに、エチオピア、チリ、メキシコ、ペ
ルー、シンガポールなども加盟している。しかし、主要な石炭消費国の
アメリカ、中国、ロシア、インドなどは加盟しておらず、日本も加盟を
見送っている。

　その脱石炭同盟は、結成宣言において、「パリ協定の目標を達成する
ためには、先進国では 2030 年までに、その他の国でも 2050 年までに
フェーズアウト・コール（石炭の使用を段階的に廃止する）が必要があ
る」と訴え、参加政府は、CO_2 回収装置のない旧式の石炭火力発電所の
段階的閉鎖および新規建設の停止することを約束することにした。フラ
ンスは「2022 年までの全廃」を表明し、提唱国のイギリスも「2024 年
10 月までの全廃」を表明していた。ドイツは、2020 年 8 月、脱石炭法
を施行し、遅くとも 2038 年までに石炭火力を全廃することにした。し
かし、全廃の前倒しを求める世論の高まりを背景に、現政権は、「理想
的には 2030 年の全廃を」と表明している。パリ協定への復帰を果たし
たアメリカは、バイデン政権の下で、「2035 年までの発電部門の CO_2 排
出ゼロ」を国家目標とした。そして、COP28 の最中の 2023 年 12 月 2 日、

脱石炭同盟への加盟を表明した。

　2021年のCOP26は、脱石炭同盟の提唱国であるイギリスで開催され、「排出削減措置のない石炭火力発電のフェーズダウン（段階的削減）」が合意事項の一つになった。議長国のイギリスは、「石炭火力のフェーズアウト（段階的廃止）」を合意事項にしようとしたが、中国やインドの抵抗にあい、「排出削減措置」を備えた石炭火力を容認する、「フェーズダウン（段階的削減）」に弱められることになった。「排出削減措置」というのは、「CO_2を回収し、地下に貯留する措置」を指すが、その実用化のめどは立っていない。そのこともあって、中国とインドは、「21世紀後半の脱炭素」を表明している。東南アジア諸国も同じような状況にある。そのような現状に便乗し、日本の岸田文雄首相は、COP26にける演説において、「アジアにおいて、脱炭素のために、CO_2排出量の少ない石炭火力を支援する」と語った。このため、国際環境NGOの「CANインターナショナル」から、温暖化対策に後ろ向きな国に贈られる「化石賞」を受賞することになった。

　環境NGOの「自然エネルギー財団」は、2020年4月、『アジアで進む脱石炭の動き』という資料を発表し、「東南アジアでは脱石炭火力の動きが強まっている。日本は、石炭火力輸出政策を中止し、再エネ拡大の支援に集中すべきである」と提言している。イギリス政府は、COP26の期間中、「石炭からクリーン電力への世界的移行に関する声明」を発表した。46ヵ国が賛同し、日本が石炭火力建設を支援するベトナム、インドネシアも賛同したが、日本は参加しなかった。

（5）CO_2の排出に値段をつける

　地球温暖化の「主役」は化石燃料の燃焼にともなうCO_2である。そうだとすると、排出するCO_2を「有料」にして、排出量を減らすことはできないか。そのように考えて、CO_2の排出に「値段」をつける「カーボンプライシング」が、先進国を中心に広がっている。そのカー

ボンプライシングには、排出する炭素量に応じて政府が税金をかける「炭素税」と、政府が排出できる炭素量の上限を決め、その排出枠に対する過不足分を売買する「排出量取引制度」がある。それらのカーボンプライシングを導入した国は、2021年現在、64ヵ国・地域に広がり、世界の温室効果ガス排出量の21.5％をカバーするまでになっている。

　カーボンプライシングで先行したのは北ヨーロッパ諸国である。フィンランドは1990年に炭素税を導入している。排出量取引制度は、ヨーロッパ連合（EU）が2005年に導入し、スイス、ニュージーランドなどが続いた。CO_2の1トン当たりの炭素税（2020年）は、スウェーデンでは約1万5600円、フィンランドでは約8400円、フランスでは約6100円になっているが、日本は「炭素税（地球温暖化対策税）」を289円にとどめてきた。排出量取引制度の排出枠価格はCO_2削減目標が引き上げられると上昇し、ヨーロッパ連合（EU）では、2021年9月にはCO_2の1トン当たりの価格が61.29ユーロ（約8000円）になった。世界最大のCO_2排出国である中国でも、2021年7月には排出量取引制度が運用開始となり、CO_2の1トン当たりの価格は約770円でスタートした。

　日本の自公政権は、カーボンプライシングの導入で、大きく出遅れてきた。「経済界の意向」を最優先してきたためである。日本経団連は、2017年10月、『カーボンプライシングに対する意見』を発表し、「排出量取引と炭素税への懸念」を表明した。「カーボンプライシングは、エネルギーコストを増加させ、国際競争力を低下させる」、「研究開発の原資や意欲を奪う」というのである。ところが、その経団連が一転して、2021年6月に『グリーン成長の実現に向けた緊急提案』を発表し、「成長に資するカーボンプライシングの検討」を提案することになったのである。それを受けて、自公政権も2022年11月、「経済成長に資する排出量取引制度」を導入することにした。そして、2023年5月12日に採択された「GX推進法」には、「成長指向型カーボンプライシング」が明記されることになった。「炭素に対する賦課金（化石燃料賦課金）＝炭

素税」と排出量取引制度を導入し、「グリーン・トランスフォーメーション（緑の変革)」を加速させることにしたのである。しかし、「成長指向型」の「しばり」があるためか、三菱総合研究所の試算では、現在、公表されている仕組みでは、CO_2 排出量 1 トン当たりの炭素税は約2000 円になり、その効果は限定的であるとのことである。政策効果が高い炭素税の水準は CO_2 排出量 1 トン当たり 1 万円前後とされている。主権者である国民はどうするのか。新しい「宿題」を出されているようである。

（6）広がる「座礁資産」からの「撤退」

　地球温暖化を促してきたのは化石燃料文明である。国際社会は、その現実を直視し、「2050 年カーボンニュートラル」に向かって動き出している。ヨーロッパ連合（EU）と加盟国は石炭火力の段階的な廃止（フェーズアウト）を決定した。廃止されることになった石炭火力発電所はどうなるのか。利益を生まなくなるだけでなく、「マイナスの資産」として重くのしかかってくる。そのような「マイナスの資産」は、いま、「座礁資産」と呼ばれている。所有している資産が座礁資産になるとしたら、投資者は、資産の安全をはかるために、できるだけ早めに座礁資産から撤退せざるをえなくなる。そのような「投資先からの撤退」、「投融資の引き上げ」は、「ダイベストメント（divestment）」と呼ばれている。化石燃料産業からのダイベストメントは、いまでは、「市場の原理」が加速させている。再エネ発電のコストが劇的に低下しているため、近い将来、化石燃料発電所は「市場の原理」によって座礁資産化するとみられるようになった。このため、「長期的な視野をもつ投資者」は、「利益」の安定的な確保をめざして、ダイベストメントをはやばやと開始することにしたのである。

　もっとも、化石燃料産業からのダイベストメントは、アメリカのスワスモア大学の学生たちから始まった。学生たちは、2011 年、大学が独

自の基金を石炭採掘事業に投資していることを突き止め、石炭採掘事業からのダイベストメントを求める運動をおこした。ダイベストメントを求める運動は、まずはオックスフォード、ケンブリッジ、コロンビア、カリフォルニアなどの大学や宗教組織・慈善団体に広がり、さらにはニューヨークやロンドンなどの大都市の公的年金基金や金融業界などにも広がるようになったのである。

　世界的な多国籍銀行のシティー・グループは、2015 年、「パリ協定が締結されると、100 兆ドル（1 京 2000 兆円）の化石燃料関連資産が座礁資産になる」と予測した。そのような化石燃料関連資産からのダイベストメントを表明した公的年金基金、大学、自治体などは 2021 年には1500 を超え、その運用資産は約 40 兆ドル（約 4600 兆円）に達した。公的年金基金が座礁資産を抱える化石燃料産業に投資し続けていると、加盟者の退職年金などが失われる危険性がある。公的年金基金は、そのような事態を回避するため、化石燃料産業からのダイベストメントを急展開させることになったわけである。

　世界と日本の保険会社も、化石燃料産業との関係の見直しを始めている。日本生命と第一生命は、2018 年、石炭火力発電への融資停止を表明した。世界の大手損害保険会社も、石炭火力発電所に関係する損害保険の引き受けを、このところ停止し始めている。電力会社は、発電所を建設する際に、事故などに備えて損害保険に入る。その損害保険に入れなくなると、石炭火力発電所の新設がむずかしくなる。日本の大手損害保険会社も、2020 年の秋、新設の石炭火力の保険引き受けを停止する指針を公表した。2019 年にスペインのマドリードで開催された COP25 では、「日本の 3 大メガバンクが石炭火力発電企業に対する最大の融資者になっている」という報告書が発表され、日本は二度にわたって不名誉な「化石賞」を受賞した。国内外から厳しい批判を受けた日本の 3 大銀行グループの「みずほ」、「三菱」、「三井住友」は、2020 年 4 月、「石炭火力発電所の新規建設を資金使途とする金融を原則として行わない」

という方針の発表を余儀なくされることになった。

（7）脱炭素を迫られる石油メジャー

　化石燃料産業には、石炭産業だけでなく、石油産業もある。その石油産業を支配してきた石油メジャー（国際石油資本）は、「2050年カーボンニュートラル」をどのように迎えようとしているか。「2050年カーボンニュートラル」を先導してきたヨーロッパ系の石油メジャーは、すでに「総合エネルギー企業への転換」を大胆に進めている。イギリスを本拠地とするBPは、2050年には再生可能エネルギーとCN燃料（二酸化炭素と水素の結合によってつくられる燃料）で、売上高の6割を占めるとの目標を掲げている。イギリスとオランダを本拠地とするシェルも、2050年には再生可能エネルギーとCN燃料の比率を45％にするという目標を掲げている。BPは、ノルウェーのエネルギー会社と提携し、洋上風力発電事業に取り組んでいる。また、系列下にガソリンスタンドをもつ強みを活かして、電気自動車（EV）用の充電スタンドを増やそうとしている。シェルも、EV用の充電スタンドを増やそうとしており、アメリカのテキサス州やナイジェリアなどで、太陽光発電事業を展開しようとしている。しかし、アメリカを本拠とする石油メジャーは、「トランプ時代の後退」もあり、再エネ発電事業への進出は出おくれている。一方、ヨーロッパ系石油メジャーは、市民・環境NGOや「緑の党」などからの圧力を強く受け、いやおうなしに脱炭素を急がされているのである。

　ヨーロッパの市民・環境NGOは、「司法の力」を活用して、国や企業に「より野心的な地球温暖化対策」を促そうとしている。オランダの環境NGOは、シェルに対して、気候変動訴訟を提起した。オランダのハーグ地裁は、2021年5月26日、「CO_2の排出量を、2030年までに2019年とくらべて45％削減すべきである。パリ協定を遵守すべきである」という判決を下した。日本経済新聞（2021年5月27日）によると、

シェルの広報担当は、「気候変動には緊急の行動が必要で、我々は50年までに実質ゼロ排出のエネルギー企業になるよう努力を加速している」とコメントしたという。

（8）「再エネ100%」をめざす企業も

　地球温暖化対策のためには、事業活動に使う全エネルギーを、化石燃料ではなく、再生可能エネルギーに変えなくてはならない。そのように考えた民間企業は、2014年に国際環境NGOのクライメイト・グループが創設した企業連合である「RE100（Renewable Energy 100％）」に参加することにした。参加企業は、「再エネ100％」への転換期限を設定した目標達成計画を立てて、事務局の承認を受けることになっている。その「RE100」には、2023年3月現在、399社が加盟している。世界的な多国籍企業の中には、ネスレ、スターバックス、イケア、ナイキなどの食品・日用品企業ほか、アップル、グーグル、マイクロソフトなどの巨大IT企業やバンク・オブ・アメリカ、モルガン・スタンレーなどの巨大金融企業が参加している。「RE100」には日本からも78社が加盟しており、その中には、リコー、イオン、積水ハウス、ソニー、パナソニック、第一生命などの企業名も見られる。

　「RE100」に加盟した日本の企業は、国内に活動を広げるために、2017年4月、「日本気候リーダーズ・パートナーシップ（JCLP）」を設立した。この組織は、活動目標の一つに、「政策関与」を上げている。そして、2019年6月には「再エネ100％を目指す需要家からの提言」を発表し、「日本の電源構成について、"2030年に再エネ50％"を掲げることを求めます」、「他の電源に対して競争力を有する再エネを実現する環境整備を求めます」などと政府に提言していた。

　日本経団連会長の十倉雅和氏は、2022年6月16日、内外情勢調査会における講演で、「資本主義あるいは市場原理が優れた制度であることは論を俟ちません。しかしながら昨今、行き過ぎた資本主義、行き過ぎ

た市場原理主義等で多くの問題、副作用が起こっています」、「特に気候変動問題は、経団連が掲げるサステイナブルな資本主義の大前提となるサステイナブルな地球環境の存続すら危うくさせるものであります」などと語っていた。その「サステイナブルな資本主義」をめざす「日本気候リーダーズ・パートナーシップ（JCLP）」は、2018年7月に設立された「気候変動イニシアチブ（JCI）」に団体として参加している。そのJCIは、2023年4月12日、「再生可能エネルギーとカーボンプライシングで二つの危機を打開する」というメッセージを世界に向けて発信した。「二つの危機」というのは気候危機とエネルギー危機である。「再生可能エネルギーの導入加速とカーボンプライシングの早期導入によって、気候危機とエネルギー危機を打開しよう」というのである。JCIには、2023年8月現在、東証上場企業だけでなく、自治体、環境NGO、消費者団体など783団体が参加している。発足時の参加団体数は105であった。どうして急増したのか。共同代表を務める元東京三菱信託銀行頭取の末吉竹二郎氏は、朝日新聞（2020年2月28日）に登場し、「企業にとって一番怖い消費者が変わり始めたからです」と語っていた。「日本国憲法のもとでは、主権者である消費者の意向を無視したまま、地球温暖化対策を怠るわけにはいかなくなっている」というのである。

Ⅱ．再エネ革命は世界を発展させる

（1）再エネ革命は大気汚染をなくす

　石炭の本格的な資源化は、18世紀半ば以降、産業革命の先発国であったイギリスで展開した。イギリス産業革命の発祥地になったランカシャー地方は、石炭による大気汚染の発祥地にもなった。マルクスの盟友だったエンゲルスは、『イギリスにおける労働者階級の状態（上）』（新日本出版社）の中で、石炭による大気汚染について、「石炭の煙が立

ちこめ、ここでは一般的な建築材料である煉瓦が、もともとは真っ赤だったのに時とともに黒くくすんで、いっそう住み心地悪そうに見える」（p 77）と報告していた。

　第二次世界大戦後のロンドンは、石炭の燃焼にともなう煙害に悩まされていた。1952 年には「ロンドン・スモッグ事件」が発生し、石炭の燃焼にともなうスモッグによる死者は約 4000 人に達した。石炭による大気汚染は、1990 年代以降、工業化が進む途上国へと広がった。2008 年に開催された北京オリンピックでは、エチオピアのマラソン選手が、大気汚染を理由に出場を辞退した。北京の大気汚染は 2013 〜 2015 年頃にピークを迎え、PM2.5 の年平均値は日本の環境基準の約 7 倍に達していた。主な汚染源になったのは郊外にあった製鉄所と石炭火力発電所、急増したガソリン車であり、冬になると家庭の石炭ストーブも汚染源になっていた。石炭による大気汚染は、21 世紀に入ると、インドでも深刻化するようになった。スイスの企業は「世界で大気汚染（PM2.5）が最も激しい 10 都市（2021 年）」を発表した。それによると、10 都市のうち 6 都市がインドに集中し、5 都市がデリー首都圏に位置していた。急増した石炭火力発電所とガソリン車が汚染源になった。

　ヘルシンキに拠点をおく独立研究機関の「CREA」（エネルギー・クリーンエア研究センター）と環境 NGO・グリーンピース東南アジアによる共同調査によると、石炭火力発電などによる大気汚染によって、毎年、世界で 450 万人が早死にし、経済的な損失が 1 日当たり 80 億ドル（約 8800 億円）になっているという。また、2018 年の年損失額は世界の GDP の約 3.3％に相当する 2 兆 9000 億ドル（約 320 兆円）にのぼり、日本の年間損失額も 1300 億ドル（約 14 兆 1700 億円）になったという。世界保健機関（WHO）は、2021 年、「PM2.5 を含む大気汚染が原因で早死にする人は、世界で毎年 700 万人に達している」と報告した。そのような化石燃料による大気汚染は、当然のことながら、化石燃料を再生可能エネルギーに変えれば、完全になくすことができる。

　中国政府は、2017年の重点活動任務の一つに大気汚染対策をあげ、「再エネ電力の優先買取」、「石炭暖房の電化・ガス化」、「排ガス基準を達成しないガソリン車の廃車とクリーンエネルギー車の利用奨励」などを進めることにした。それらの効果はただちに現れ、北京市は2022年1月、「北京市のPM2.5の濃度が、初めて、中国の環境基準をクリアした」と発表した。その後の2月4日から開催された冬季オリンピックの期間中は、天候に恵まれたこともあって、青空が続くことになった。

　インドの大気汚染は、いまも続いている。シカゴ大学の研究所は、2022年6月、「現行水準の大気汚染が今後も続く場合、デリー首都圏を含むインド北部の住民の平均寿命は、7.6年短くなる」という試算を発表した。それを受けて、デリー首都圏の大気管理局は、「汚染レベルが高くなった際には、デリー市内のトラック通行を原則禁止する」などの対策を発表した。また、新規登録する自動三輪車（オートリキシャ）は、圧縮天然ガス車輌と電気自動車に限定することにした。

　PM2.5の汚染は、日本でも、社会問題になってきた。イギリスの医学雑誌『ランセット』（2017年）は、「日本では、年間100万人当たり9.74人が、石炭火力発電所が排出するPM2.5によって死亡している」という調査結果を発表した。それらのデータを踏まえて、東北大学教授の明日香壽川氏と仙台市民は、市内に建設された火力発電所の操業差し止めを求める裁判に踏み切った。同じような訴訟は、その後、横須賀市、神戸市などでも提起された。明日香壽川氏は、『グリーン・ニューディール』（岩波新書）の中で、若い研究者達と作成した『レポート2030』の概要を紹介している。そのレポートは、2030年には原発をゼロにし、2050年には化石燃料の消費をゼロにするという数値目標を掲げている。2030年までの投資額は約202兆円になるが、経済効果は約205兆円になり、2030年までに約2544万人の雇用を創出するという。この「日本版グリーン・リカバリー（緑の復興）」案は、2030年には化石燃料の消費を約60％減にするという。だから、大気汚染による死亡を大幅に削

減できるようになり、「2030年までの累積の回避死亡者数を2920人にすることができる」（p 173）というのである。

　再エネ革命をさらに前進させれば、化石燃料の消費にともなって発生する大気汚染を減らすことができるようになり、大気汚染による死亡を大幅に減らすことができるようになる。それだけでなく、地球温暖化を止めることができるようになり、地球温暖化がもたらす健康被害を大幅に減らすことができるようになる。IPCCの『第6次評価報告書』の『第2作業部会報告書』は、「気候変動は、世界全体で人々の身体的健康に悪影響を及ぼす（確信度が非常に高い）」とした上で、「暑熱に関連する極端現象がもたらす死亡や疾病」、「食品媒介性感染症」、「動物媒介性感染症」、「下痢性疾患」などによる身体的健康への悪影響を列記している。

　日本における熱中症による死亡者数は、2005〜2009年までは500人未満だったが、2010年以降、700人を超えるようになった。猛暑と熱中症との病理学的な因果関係には不明な部分が残されているが、進行する地球温暖化の影響が懸念されている。日本では、2022年の6月27日から7月3日の1週間、熱中症で病院に搬送された人数は1万4000人を超えた。デング熱を媒介するヒトスジシマ蚊の生息域の最北は、1948年の時点では栃木県だったが、2016年には青森県まで広がっている。65歳以上の高齢者の猛暑による死亡率は、2022年までの20年間に、1.5倍以上になったともいわれている。

　IPCCの『第6次評価報告書（政策決定者向け要約）』は、「加速的な気候変動対策は、共便益（コベネフィット）を提供しうる」としたうえで、「多くの緩和行動は、大気汚染の低下、移動性の向上、及び健康的な食生活への移行等を通して健康に対する便益があるだろう」と続けている。

（2）再エネ革命でエネルギーの安全保障を

　ロシアは、2022年2月24日、国連憲章を無視してウクライナ侵攻を

開始した。ロシアは世界有数の石油・天然ガス輸出国であり、ヨーロッパ諸国は、ロシアからの石油・天然ガスの輸入に依存していた。しかし、ヨーロッパ連合（EU）は、経済制裁の一環としてロシア産の石油・天然ガスの輸入停止・制限に踏み切った。一方、ロシアは、対抗措置としてヨーロッパ向けの天然ガスの供給を大幅に削減することにした。このため、石油・天然ガスの国際価格は高騰し、化石燃料の輸入国は、貿易収支の悪化に悩まされることになった。

　世界の1次エネルギー構成（2021年）を調べてみると、石油が31％、天然ガスが24％、石炭が27％を占めていた。石油と天然ガスだけでも、55％を占めていたことになる。しかも、それらの資源は偏在しており、ロシアは、石油の産出量と輸出量で世界第2位（2019年）、天然ガスの産出量と輸出量では第1位（2020年）を占めていた。そのロシアが、石油と天然ガスを、「武器」として使うことにしたのである。

　EUは、ロシアのウクライナ侵攻を契機に、エネルギー安全保障を見直すことになった。EUの委員会は、2022年3月8日、ロシア産化石燃料からの離脱計画「リパワーEU」を発表した。「リパワーEU」は、「2030年よりも早い段階にロシア産化石燃料からの離脱を目指す」として、「太陽光・風力発電に860億ユーロ（約11.4兆円）の追加投資を行う」と表明した。太陽光と風力は、どの国の、どの地方でも、誰でも入手できる。EUの加盟国は、そのような地産地消の再生可能エネルギーを活用することによって、エネルギーの安全保障を確かなものにすることにしたのである。

　エネルギーの安全保障は、エネルギー自給率の低い国にとっては、「国家の死活問題」になりかねない。ヨーロッパ諸国と日本のエネルギー自給率（2021年）はどうか。イタリアは23％、ドイツでは35％だったが、フランスは54％、イギリスでは61％であった。それに対して、日本は、13％にとどまっていた。石油・天然ガスの国際価格の値上がりは、貿易収支を著しく悪化させ、円安の影響もあって、2022年度

の赤字幅は21兆円を超えた。それだけでなく、電気代の高騰を招き、生活必需品の大幅な値上げをもたらした。再エネ革命をもっと前進させておけば、このような「不測の事態」は、かなりの程度まで回避できたはずである。

　ところが、日本の『第6次エネルギー基本計画』は、2030年の電源構成に占める再エネの比率を36〜38％に設定しているのである。一方、ロシア産天然ガスへの依存度が高かったドイツは、2022年3月、「再生可能エネルギー法」を改正し、総電力消費量に占める再エネの比率を、2030年には80％、2035年にはほぼ100％にすることにした。「リパワーEU」は、総電力消費に占める再エネの比率を、2030年には69％とする目標を掲げている。「36〜38％」という数値は、日本の限界なのか。

　日本でも、環境NGOや政党は、もっと高い目標を掲げている。それらの団体が掲げる2030年における総電力消費量に占める再エネ電力の比率は、「未来のためのエネルギー転換研究グループ」が44％、気候ネットワークが50％以上、自然保護基金（WWW）ジャパンが50％、自然エネルギー財団が45％、日本リーダーズ・パートナーシップが50％以上、日本共産党が50〜60％などとなっている。「未来のためのエネルギー転換研究グループ」は、「2030年までの化石燃料輸入削減累積額」を約51.7兆円と推定している。再エネ電力は「純国産電力」である。日本の電力の44％を再エネ由来の電力に変えれば、日本の化石燃料の輸入額を大幅に削減できるはずだというのである。

　経産省資源エネルギー庁は、2023年3月16日、ホームページに広報『エネルギー危機の今、あらためて考えたい「エネルギー安全保障」』を発表した。そして、「安全保障の視点から、日本のエネルギーのあり方を考える」と題して、政府が進める液化天然ガス対策と原発対策をとりあげた上で、「日本のエネルギー安全保障を確保するためには、いったいどのようなエネルギーのあり方が望ましいか。再エネは、原子力発電

は、どのように使われるべきなのか。私たち一人一人が考えていかなくてはならない課題です」と結んでいる。しかし、原発で使うウランは、その100％が輸入品である。原発が過酷事故を再発すれば、「エネルギー安全保障」どころではなくなる。「日本のエネルギーのあり方」は、すでに、はっきりしているはずである。ドイツと同じように、「2035年再エネ電力100％」をめざせば、「真のエネルギー安全保障」を構築できるはずである。

　前掲『グローバル・グリーン・ニューディール』（NHK出版）を刊行したジェレミー・リフキン氏は、NHK・BS1の番組『再エネ100％をめざせ』（2020年3月1日）に登場し、「日本経済をまかなうだけの十分な太陽と風のパワーがあるのに、天然ガスと石炭の輸入に頼るなんて信じられません。これは日本経済のアキレス腱です。日本の産業界は、この20年で先進国の座を失い、二流国になるでしょう」と語っていた。環境NGOの自然エネルギー財団は、2022年4月12日、「ウクライナ侵攻によるエネルギー危機に対する提言」と題する文書を発表し、「自然エネルギーは世界各地に存在し、水力、風力、太陽光、地熱など多様なため、どの国であっても相当の規模で自給可能である。だから、輸出入の対象にならず、価格高騰も供給不安も起きない」と指摘し、再エネ革命の前倒しを提言していた。

（3）再エネ革命で生産手段の社会化が

　風力発電の先発国であるデンマークでは、農民を中心とする地域住民が、第一次石油危機後の1970年代半ばから、風力発電機の設置を始めた。1980年代に入ると、国も風力発電機設置費を補助するようになり、風力発電電力の買取制度も整備されるようになった。風力発電事業は「採算のとれる事業」になり、地域住民を中心とする風力発電は、その後も大きく広がるようになった。2008年には「再生可能エネルギー促進法」が制定され、洋上風力発電についても、地域住民の所有比率を

20％以上にすることが義務づけられた。風力発電機の約8割を地域住民が所有するデンマークでは、電力の消費者である地域住民が、電力の生産者にもなっているのである。

そのような変化はデンマークと国境を接する北ドイツにも波及するようになり、1990年代以降、ドイツでも地域住民を主体とする風力発電が広がるようになった。2000年に施行された「再生可能エネルギー法」では、すべての再エネ電力が固定価格で買い取られることになり、地域住民主体の再エネ発電は太陽光発電にも広がるようになった。このところ、超大型の洋上風力発電所の建設が進むなど、再エネ発電への大企業の進出が目覚ましいものの、再エネ発電の所有者別の比率（2019年）を調べてみると、「個人」が30.2％、「農家」が10.2％を占めていた。

日本でも、東日本大震災以降、「屋根上の発電所」をもつ住宅が増えている。「太陽光を利用した発電機器のある住宅の比率」は、2020年には、「戸建て住宅」に限ると12.3％を占めるまでになった。「第6次エネルギー基本計画」は、「2030年度以降に新設される住宅について、ZEH（ネット・ゼロ・エネルギー・ハウス）基準の水準の省エネルギーの確保をめざす」、「2030年には新築戸建住宅の6割に太陽光発電設備が設置されることをめざす」という目標を掲げた。東京都は、2022年12月15日、大手住宅メーカーに、太陽光パネルの設置を義務づける条例を制定した。大手住宅メーカーのZEH普及率（2021年度）は、北海道以外の都府県では、一条工務店が98％、積水ハウスが92％となり、ほとんどの大手住宅メーカーが50％を超えている。

それらの「ZEH」は、当然のことながら、「屋根上の発電所」を備えている。そのような住宅にくらす住民は、電力の消費者であるだけでなく、電力の生産者にもなる。そして、家庭での電力収支が赤字になる夜間は電力会社から電力を購入し、家庭での電力収支が黒字になる昼間は電力会社に電力を販売することになる。そこに電気自動車（EV）が加わってくると、家庭と電力会社の関係は、さらに大きく変わることにな

る。EV は大容量蓄電池を備えている。その大容量蓄電池と電力会社の電力系統がつながると、家庭の大容量蓄電池が、「仮想発電所」として機能するようになる。EV の所有者は、「屋根上の発電所」を備えると、「仮想発電所の管理者」にもなる。再エネ革命がさらに進展すると、地域住民は、電力の生産者となり、電力系統の管理者にもなりうるはずである。「屋根上の発電所」の平均的な出力は 4kW である。それが 100 万件になると、原発 4 基分の出力 = 400 万 kW になる。地域住民が電力系統の管理者と対等の力をもつようになれば、地域住民は、「仮想発電所」においても、「主役」としての役割を果たすことができるようになるはずである。

　和歌山大学客員教授の和田武氏は、『気候変動対策と原発・再エネ』（あけび書房）の中で、「原発や石炭火力は企業の所有が中心でしたが、再エネ発電では市民や地域主体による所有が中心になっていき、その数は増加し続けます。その結果、エネルギー生産手段である再エネ資源やそれを活用した発電施設を民主的に社会全体で所有し、コントロールできるようになっていきます」（p p 158 ～ 159）と記述し、そのような現象を「エネルギー生産手段の民主的社会化」と呼んでいる。再エネ革命のさらなる進展は、「エネルギー生産手段の社会化」を、大きく広げる可能性を秘めているのである。

（4）再エネ革命は途上国を大きく変える

　国連広報センターは、毎年、『持続可能な開発目標（SDGs）報告』を発表している。そして、開発目標の一つに、「すべての人々に手ごろで信頼でき、持続可能かつ近代的エネルギーへのアクセスを確保する」という目標を掲げている。その 2022 年版は、「24 億人（2020 年）が、依然として非効率的で汚染につながる調理システムを使用している」、「電力を利用できない人々の数は、2020 年現在、7 億 3300 万人も残っている。現在の傾向に基づいた場合、2030 年になっても 6 億 7900 万人を数える

ことになる」など報告している。

　2019年の世界の未電化人口は7億7100万人だったが、その75％は、「サブサハラ」と呼ばれるサハラ砂漠以南の地域に住んでいた。未電化地域の人々は、調理用に使う薪炭や石炭、牛糞などの煙で汚染される室内の空気のために、呼吸器系の病気で死亡する人が少なくない。子どもたちは、電気による照明がないため、夜間の学習は限られてしまう。しかし、サブサハラは、赤道の南北に分布しているため、太陽光には恵まれている。その太陽光をソーラーパネルによって電気に変えれば、経済や生活を一変させることができるようになるはずである。

　東アフリカのケニアは、国土のほぼ中央部を赤道が横切っているため、世界でも太陽光に最も恵まれた国の一つである。しかし、送電網と無縁な農村地域では電化がおくれ、そこでの電化率は5％程度にとどまってきた。その農村地域で、このところ、太陽光発電が急展開している。農村地域には、「キオスク」と呼ばれる、日用品や飲み物などを取り扱う小規模商店がある。そのキオスクが、屋根の上にソーラーパネルを設置し、発電した電気をバッテリーに貯めて、その電気を住民に量り売りするようになったのである。キオスクは、充電式のLEDランタンやラジオのレンタルサービス、携帯電話の充電サービスもおこなっている。LEDランタンの明かりは露天商の営業などにも使われ、子どもたちはLEDランタンの明かりの下で勉強できるようになった。電化がさらに進みつつある農村では、農家が自宅の屋根上にソーラーパネルを設置し、広域の送電網（グリッド）から切り離されている「分散型オフグリッド発電」を行うようになっている。そのような「分散型オフグリッド発電」のサービスを提供しているのは、首都のナイロビを拠点とする新興企業の「エムコパ」である。住民は、エムコパに少額の返済を続けることで、電気だけでなく、テレビやラジオもセットで使えるようになっている。このエムコパには、日本の企業も、投資を行っている。そのことを伝えた朝日新聞（2023年3月23日）に登場したペーター・ム

ティンダ氏は、「数年前までローソクしかなかった。それがランプがつき、テレビも見られるようになった」と語っていた。

　しかし、ケニア統計局が2022年4月に発表した報告書によると、ケニアの電源構成（2021年）の40.6％を占めていたのは地熱発電であり、太陽光発電の比率は1.3％に過ぎなかった。ケニアには、アフリカ大地溝帯が、南北に走っている。そこは地熱資源の宝庫であり、1981年にはアフリカ大陸最初の地熱発電所が稼働を開始し、現在は4つの地熱発電所が国営の送電網を通じて首都のナイロビなどに電力を供給している。それに水力発電と風力発電などを加えると、2021年には再エネ由来の電力が総発電量の89.6％を占めていた。そのような広域の送電網（グリッド）から切り離されている農村地域に、近年、太陽光を活用する「分散型オフグリッド発電」が急展開するようになり、電源構成に占める比率を高めているのである。とはいえ、分散型オフグリッド発電は、出力の変動が大きく、どうしても割高になる。そこで、町村規模の送電網で分散型オフグリッド発電を結合する「マイクログリッド」と呼ばれる電力システムが広がりつつあり、蓄電池や変電所を設置して電力供給の安定性とコストの低減をはかろうとしている。国際エネルギー機関（IEA）は、そのようなマイクログリッドの普及が、電化生活と無縁なサブサハラの農村地域を一変させるのではないかと見ている。

　地熱発電所が稼働する前のケニアでは、主力電源だったのは石油を燃料とする火力発電所であり、火力発電は2010年になっても電源構成の32.0％を占めていた。それが、2021年には10.2％まで低下し、いまも発電容量は減少しつつある。石油を中心とする鉱物性燃料の輸入額は、2015年か2021年にかけて半減した。もともと、ケニアは、鉱物性燃料資源には恵まれていなかった。このため、火力発電は、外貨事情を悪化させていた。しかし、地熱と太陽光は、地産地消の「純国産資源」である。ロシアのウクライナ侵攻以後、鉱物性燃料の国際価格は高騰したが、「再エネ発電9割」のケニアは、その影響をあまり受けないでき

た。ケニアは、中所得国になることを目標に掲げて「ケニア・ビジョン2030」の実現を目指しており、石油の輸入をさらに減らそうとしている。そしてそのために、この国は、再エネ革命をさらに前進させようとしているのである。

(5) 再エネ革命で「持続可能な開発」を

　ケニアの首都・ナイロビに本部を置く国連環境計画（UNEP）は、2022年10月27日、『残された時間はわずか～気候危機は社会の急速な変革を求める』と題する報告書を発表した。「各国が現在おこなっている地球温暖化対策では、今世紀末には、地球の気温は産業革命前より2.8℃上昇してしまう」と警告し、「地球温暖化を産業革命前とくらべて2℃におさえるためには、各国の温室効果ガス排出量を、2030年までに30％減らさなくてはならない」、「地球温暖化を産業革命前とくらべて1.5℃におさえるためには、各国の温室効果ガス排出量を、2030年までに45％減らさなくてはならない」と提言した。それでは、そのために、何をどうすればいいのか。「化石燃料を利用しない、大規模で速やかな変革を、おこなわなくてはならない」、「化石燃料への投資をやめて、産業、電力供給、運輸、建築の各分野で、徹底した脱炭素化を進めなくてはならない」などというのである。「今すぐ再エネ革命を」という。

　国連環境計画（UNEP）と世界気象機関（WMO）は、1988年、気候変動に関する科学的知見をまとめるために、「気候変動に関する政府間パネル（IPCC）」を設立した。そのIPCCの『第6次評価報告書・統合報告書』は、「2021年10月までに発表された各国の温室効果ガス削減目標だと、地球温暖化が21世紀の間に1.5℃を超える可能性があり、地球温暖化を2℃に抑えることが困難になる」と警告した。その一方で、「気候変動は人間の幸福と惑星の健康に対する脅威である」としながらも、「しっかりした地球温暖化対策を備えた開発は、持続可能な開発を

進展させる」という科学的知見をも伝えた。「政治への関与を深め、再エネ対策や省エネ対策を進めれば、2030年までに温室効果ガスの排出量を半減させることができる」とも伝えた。国際社会は、そのような科学的知見を共有し、「持続可能な開発」をめざして動き出しているのである。

　国連総会は、2015年9月25日、全会一致で「持続可能な開発目標（Sustainable Development Goals）」を採択した。そのルーツになったのは、1992年に採択された「環境と開発に関するリオデジャネイロ宣言」であった。その宣言が採択された「環境と開発に関する国連会議」に参加した155ヵ国は、気候変動枠組条約に署名し、その条約は1994年には197ヵ国が参加して発効することになった。リオデジャネイロ宣言は、前文で「人は、自然と調和しつつ健康で生産的な生活を営む権利を有する」といいきり、「原則」の冒頭には「人類は、持続可能な開発の中心に、位置している」と記述していた。その「宣言」の理論的な根拠になったのは、国連総会の決議に基づいて立ち上げられた「環境と開発に関する世界委員会」が1987年に発表した報告書、『地球の未来を守るために』（福武書店）であった。

（6）「地球破局」論から「持続的開発」論へ

　その『地球の未来を守るために』が発表されるまでは、世界の世論は、1972年に刊行されたローマ・クラブの『成長の限界』（ダイヤモンド社）の影響を強く受けていた。

　『成長の限界』は、「世界人口、工業化、汚染、食糧生産、および資源の使用の現在の成長率が不変のまま続くならば、来るべき100年以内に地球上の成長は限界点に到達するであろう。もっとも起こる見込みが強い結末は人口と工業力の突然の、制御不能な減少であろう」（p 11）と予言し、「人口と工業力のゼロ成長への移行」を提言した。「人口の制御不能な減少」というのは、「人類の大量死」を意味していた。「地球の有

限性は否定できない。そこでの人口と工業力の成長には限界がある。人口と工業力の成長をゼロにしないと、人類は悲劇的な破局を迎えることになる」というのである。そのような「地球破局」論に共鳴した朝日新聞社は、1973年、『地球は満員』を刊行した。そこに登場した研究者は、「食糧生産が相当に増えたとしても、地球の定員は60億人をそう上回れないだろう」（p 80）、「農業技術や環境汚染などを考えると、70億人を収容するのはとても無理で、おたがいがひもじい思いをせずに暮らせる定員は35億人だろう」（同上）などと語っていた。

　ところが、1987年に発表された前掲『地球の未来を守るために』は、「人類は、開発を持続可能なものとする能力を有する」（p 28）と高らかに宣言したうえで、「持続的開発」について、「持続的開発とは、将来の世代が自らの欲求を充足する能力を損なうことなく、今日の世代の欲求を満たすことである」（同上）と定義づけた。さらに、「経済成長の新たな時代への道を開くため技術・社会組織を管理し、改良することは可能である」（p 29）、「基本的欲求を充足するには、人口の大半が貧しい国々において新たな経済成長の時代を作り出すことが不可欠である」（同上）と続けている。しかし、そのためには、「エネルギー問題の解決」が不可欠である。それについては、まずは、「省エネルギー政策が、持続的開発のためのエネルギー戦略にならなくてはならない」（p 36）としながらも、「省エネルギーは、21世紀の世界のエネルギー構造を支えるべき"再生可能な低エネルギーへの道"が開けるまでの時間稼ぎに過ぎない」（同上）と続けていた。その再生可能エネルギーについては、「現在の再生可能エネルギー源はそれぞれ問題を抱えているが、創意あふれる研究開発が行われたとすれば、現在の世界の1次エネルギー総需要に匹敵する量を賄うことができるかもしれない」（p 36）としたうえで、「安全で環境を汚染せず、経済的にも採算がとれ、末永く人類の発展を支えるエネルギーへの道を見いだすことが急務であり、それは可能である」（p 37）と続けていた。「持続的開発」論を体系的に展

開し、「地球破局」論からの覚醒を促したのである。

　『地球の未来を守るために』は、「現在の再生可能エネルギー源はそれぞれ問題を抱えているが、創意あふれる研究開発が行われたとすれば、現在の世界の1次エネルギー総需要に匹敵する量を賄うことができるかもしれない」（p 36）と控え目に論述していた。いまから40年近く前の資源論は、確かに、このような段階にあった。しかし、その後、「エネルギー資源の研究開発」は想定外の進展をみせるようになり、現代世界は、「世界の1次エネルギー総需要」を超えるエネルギー資源の確保をめざし、「末永く人類の発展を支えるエネルギーへの道」を歩み始めているのである。

　太陽光や風力、水力、地熱などは、化石燃料とは異なり、枯渇する心配はまったくない「再生可能なエネルギー資源」なのである。化石燃料文明を支えてきた石炭や石油、天然ガスは、再生不能なエネルギー資源であり、採掘するたびに減少していく、「持続不能なエネルギー資源」だったのである。人類は、自らの責任で地球を温暖化させつつあるが、その対策を必死になって模索する中で、ついに「持続可能なエネルギー資源」を創出することができるようになったのである。再エネの資源化は、21世紀に入って、さらに加速している。このため、石炭や石油、天然ガスなどの化石燃料は、枯渇する前にエネルギー資源としての価値を失い、「単なる自然物」になろうとしているだけでなく、座礁資産にもなろうとしているのである。人類は、いま、「危機」を「機会」に変えようとしているのである。

（7）現代世界は「持続可能な開発」をめざす

　国際社会は、「持続可能なエネルギー資源」を創出しつつあり、「エネルギー資源の枯渇」におびえることなく、「持続可能な開発目標（SDGs）」を達成しようとしている。その「持続可能な開発目標（SDGs）」は、『我々の世界を変革する：持続可能な開発のための2030

アジェンダ（行動計画）』の主要部分であり、「17の目標（ゴール）」と「169項目の達成基準（ターゲット）」で構成されている。その「目標（ゴール）7」は、「すべての人々の、安価かつ信頼できる持続可能な現代的エネルギーへのアクセスを確保する」というものであり、「2030年までに、世界のエネルギー構成に占める再生可能エネルギーの割合を大幅に増大させる」などという「達成基準（ターゲット）」が掲げられている。再エネ革命は、すでに、ここまできているのである。

　しかし、国際社会は、産業経済を発展させながら、カーボンニュートラルを実現できるのか。東京大学准教授の斎藤幸平氏は、『人新世の「資本論」』（集英社）の中で、「今後10年から20年のうちに、気候変動を止められるだけの"十分なデカップリング（経済成長と環境負荷の切り離し）"が可能か」（p 68）と問いかけて、「デカップリングは不可能である」という結論をくだしている。そうだとすると、「生活規模」を引き下げなくてはならない。どこまで下げることになるのか。「1970年代後半」（p 98）だという。日本における家庭用エアコンの普及率を調べてみると、1970年は7％にとどまっていた。それが、1979年になると4割台になるが、まだ低所得層には普及していなかった。生活規模を「1970年代後半の水準」まで引き下げると、所得水準の低い高齢者は、冬の酷寒と夏の猛暑にどう向き合うことになるのか。「経済成長と環境負荷の切り離し」は、本当に、不可能なのか。

　「再エネ先進国」のドイツを例にとると、2021年の温室効果ガス排出量は、1990年とくらべると39％減少していた。その一方で、2021年の実質GDPは、1990年とくらべると、1.52倍に増加していた。この間のドイツは、「十分なデカップリング」をおこないながら、経済成長を実現していたのである。そのドイツは、2022年、「2030年までに電力消費に占める再エネの比率を80％以上し、2035年以降は国内で発電・消費される電力部門はほぼ気候中立とする」というエネルギー生産関連法を閣議決定した。その閣議決定を実現できれば、「経済成長と環境負荷の切

OECD 諸国の CO$_2$ 排出量（実質 GDP 対比）

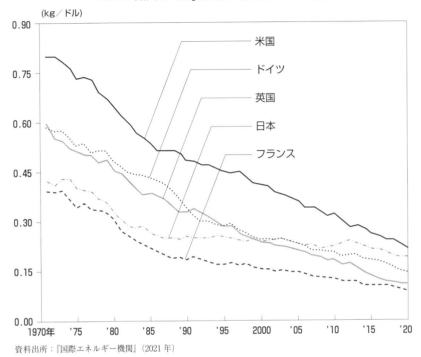

(kg／ドル)

米国
ドイツ
英国
日本
フランス

1970年　'75　'80　'85　'90　'95　2000　'05　'10　'15　'20

資料出所：『国際エネルギー機関』（2021年）

> 　縦軸は1ドル当たりのCO$_2$排出量（Kg）を示している。OECD加盟5ヵ国は、すべての国が、その数値を低下させている。「経済成長と環境負荷の切り離し」＝デカプリングを実現させてきたことが読みとれる。先行していたフランスは、1970年の0.45kg/ドル弱を2020年には0.15Kgドル以下まで低下させている。その間の日本の低下は緩慢で、ドイツ、イギリスに、追いこされることになった。

り離し」は、さらに加速することになるはずである。そのような「デカプリング」は、風力発電の先発国であるデンマークでもはっきりと確認でき、日本を含めたOECD加盟国に共通した傾向となっているのである。

　斎藤幸平氏は、前掲書の中で、「産業革命以来の資本主義の歴史を振り返ればわかるように、20世紀の経済成長は、化石燃料を大量に使用

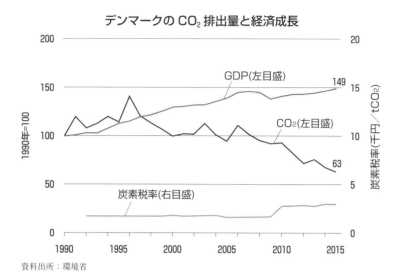

デンマークの CO₂ 排出量と経済成長

資料出所：環境省

デンマークは、風力発電の先発国であり、電力発電量に占める風力発電の比率を、2022年には55%まで高めた。そのおかげで、二酸化炭素（CO_2）の排出量は、1990年を100とすると、2015年には63まで低下した。しかも、その間に、国内総生産（GDP）は149まで向上した。2010年には炭素税を引き上げて、再エネ革命を加速させることにした。この国は「デカプリング」の先進国でもある。

することによって可能になった。経済成長と化石燃料は、分かちがたく密接に関連しているのだ」（p 75）と論述している。確かに、これまでの経済成長は、化石燃料と分かちがたく関連してきた。しかし、その関連は「過去形」になりつつあり、現代世界は、「ルールある国際社会」のもとで、化石燃料文明を廃棄し、再エネ文明への大転換を急展開させようとしているのである。それでは、その「ルールある国際社会」の主役は、誰なのか。

（8）「われら人民」は再エネで温暖化を止める

「持続可能な開発目標（SDGs）」を掲げた前掲『我々の世界を変革する：持続可能な開発のための2030アジェンダ（行動計画)』は、その前

文において「誰一人取り残さないことを誓う」と宣言し、「結語」を「人類と地球の未来は我々の手の中にある」としめくくっている。そして、「われら人民」というのが国連憲章の冒頭の言葉であることを再確認したうえで、「今日 2030 年への道を歩み出すのはこの"人民"である」、「これは、人民の、人民による、人民のための行動計画であり、そのことこそが、この行動計画を成功に導くと信じる」といいきっている。アメリカの第 16 代大統領のエブラハム・リンカーンの演説を「借用」しながら、「世界の人民は、持続可能な開発計画（SDGs）を、実現できるはずである」といいきっているのである。

　国連憲章の前文を読むと、確かに、「われら連合国の人民は」から始まっている。そして、「一層大きな自由の中で社会的進歩と生活水準の向上とを促進する」などの目的を掲げ、「これらの目的を達成するために、われらの努力を結集することに決定した」としめくくっている。そのような憲章をもつ国連は、第二次世界大戦の勃発を防げなかったことを教訓にして、1945 年 10 月 24 日に設立された。発足当時の加盟国は51 ヵ国であったが、その後、アジア・アフリカなどの植民地があついで独立し、国連に加盟するようになったため、2023 年 2 月現在、加盟国は 193 ヵ国を数えるまでになっている。植民地体制が崩壊し、新興独立国が、世界を動かす多数派になった。それらの諸国を含めて、世界の大多数の国々には国民主権の民主主義体制が確立し、「われら人民」が国政の主人公になった。その「世界の主権者」は、国連に結集し、「持続可能な開発計画（SDGs）」を共有しているのである。

　その国連は、まずは、「気候変動に関する政府間パネル（IPCC）」を立ち上げた。そして、その最初の『評価報告書』を受けて、気候変動枠組条約を制定した。その条約の締約国は、パリ協定を採択し、地球温暖化を 1.5℃ に抑える努力を継続することにした。そのためには、何としてでも、CO_2 の排出を削減しなくてはならない。そのように考えて、化石燃料文明を廃棄し、再エネ文明への移行をめざすことにした。そのよ

うな動きを、さらに、加速させることはできないか。そのように考えて、世界の主権者は、政府間の組織である国際エネルギー機関（IEA）と国際再生可能エネルギー機関（IRENA）を立ち上げた。IEA は、「2050 年には太陽光が最大のエネルギー源になる」などという見通しを示し、再エネ革命の推進を後押ししている。IERNA は、「世界的なエネルギー危機と気候危機に取り組むための鍵を握るのは再生可能エネルギーである」などという見解を示し、各国政府の気候・エネルギー政策への情報提供を続けている。世界の主権者は、いま、国連や政府間組織を通じて、気候危機とエネルギー危機に立ち向かっているのである。

　世界の主権者は、現在、「ルールある経済社会」を世界全体に広げ、「ルールある国際社会」を構築しながら、地球温暖化を止めるために、再エネ革命を前進させようとしているのである。その再エネ革命は地球温暖化を止めるだけではない。これまでにない「豊かな世界」の構築を可能にしようとしているのである。IPCC の最新の『統合報告書（政策決定者向け要約）』は、「この 10 年間の大幅で急速かつ持続的な温暖化対策は、大気の質と健康について、多くの共便益（コベネフィット）をもたらすだろう」などと論述している。「再エネ革命は多くの共便益（コベネフィット）をもたらすはずだ」というのである。再エネ革命を急展開させ、共便益（コベネフィット）を、もっと広げることはできないか。世界の主権者は、いま、たくわえてきた底力をいかんなく発揮することが求められているのである。

　2023 年 11 月 30 日から 12 月 13 日にかけて、アラブ首長国連邦のドバイで、COP28 が開催された。そして、合意文書では初めて「化石燃料からの脱却」が明記され、合意文書には「2030 年までに再生可能エネルギーを 3 倍に拡大する」という数値目標も盛り込まれた。「われら世界の人民」は、再エネ革命で温暖化を止めることをめざして、さらなる一歩を踏みだすことになったのである。

あとがき

　日本財団は、2021年2月25日、『脱炭素についての18歳の意識調査』を発表した。それによると、「異常高温、海水温の上昇、高潮、豪雨災害など温暖化が原因と考えられる想定外の災害が増えています。あなたはこうした温暖化のリスクを知っていますか」という設問については、若者達の77.4％は「知っている」を選択していた。「あなたは温暖化の主な原因は何だと思いますか」という設問については、若者達の66.7％が「人間の社会活動に伴う温室効果ガスの排出」を選択していた。しかし、「"2050年カーボンニュートラル"を実現可能だと思いますか」という設問については、「はい」を選択した若者達は14.4％にとどまっていた。「いいえ」を選択した若者達が35.4％、「わからない」を選択した若者達が50.2％もいた。

　朝日新聞は、2023年7月4日、「エコ不安、若者らに広がる」と題する記事を掲載した。「電通総研のアンケート調査によると、16〜25歳の1000人のうち72.6％が気候変動に"不安"を感じていると回答した」、「"気候変動に対する感情はあなたの日常生活にネガティブな影響を与えているか"という設問については、49.1％が"はい"を選択した」というのである。そのような若者達を「エコ不安」から解放できないか。地球温暖化問題について、「前向きな考え」をもってもらうことはできないか。そのように考えて、この本を書きすすめてきた。

　この本の第1章では、国際機関である「気候変動に関する政府間パネル（IPCC）」が発表した『評価報告書』を読み取り、「地球温暖化問題の真実」を再確認することにした。それを受けて、国際社会が気候変動枠組条約とパリ協定を共有し、「2050年カーボンニュートラル」をめざして動き出していることを明らかにした。しかし、「2050年カーボンニュートラル」は、実現可能なのか。

この本の第2章では、現代が化石燃料文明から再エネ文明への大転換期にあり、その再エネ革命が着実に進展しつつあること、さらなる進展が可能であることを明らかにしようとした。「2050年カーボンニュートラル」が実現可能な目標であることを明らかにしようとしたのである。とはいえ、「カーボンニュートラルの電源」には、原子力発電もある。

　この本の第3章では、原発が「持続可能な発電」にはならないことを明らかにし、「脱原発のカーボンニュートラル」を選択すべきことを示そうとした。しかし、そのような選択は、「非現実的な空想」ではないのか。そうではないことを、「脱原発先進国」であるドイツの奮闘ぶりを紹介することによって、明らかにしようとした。しかし、原発に頼らなくても、「豊かな世界」を展望することができるのか。「再エネ100％の世界」は実現可能なのか。

　この本の第4章では、再エネ革命をさらに加速させようとする現代世界を紹介し、そのための「経済社会システム」が着実につくられつつあることを明らかにしようとした。現代世界は国家が基本的な地域単位になっている。それぞれの国家は「ルールある経済社会」に向かいつつあり、全世界も「ルールある国際社会」に向かいつつある。その「ルールある経済社会」、「ルールある国際社会」はいま、国連に結集しながら、再エネ革命を急展開させ、地球温暖化を止めようとしているのである。「持続可能な開発目標（SDGs）」を共有し、その実現をめざそうとしているのである。

　2015年に開催された国連総会は『我々の世界を変革する：持続可能な開発のための2030アジェンダ（行動計画）』を採択した。その文書は、「"われら人民"というのは国連憲章の冒頭の言葉である。今日、2030年への道を歩き出すのは"われら人民"である」といいきったあとで、「人類と地球の未来は我々の手の中にある」と結んでいる。「われら人民」はいま、科学的な知見を学びつくし、底力を発揮することが求められている。この本が、その一助になれば、幸いである。

【著者紹介】

岩渕　孝（いわぶち・たかし）

【略歴】

1936 年生まれ。元秋田大学教授・元筑波大学附属高校教諭

【主な著作】

『環境問題再入門』（地歴社、2005 年）

『「有限な地球」で』（新日本出版社、2010 年）

『津波死ゼロの日本を』（本の泉社、2019 年）

『グレタさんの訴えと水害列島日本』（学習の友社、2020 年）

入門 温暖化を止める再エネ革命

2024 年 3 月 30 日　初版第一刷　発行　　　　　　定価はカバーに表示

著者　岩渕　孝

発行所　学習の友社

〒 113-0034　文京区湯島 2-4-4

電話　03（5842）5641　fax　03（5842）5645

tomo@gakusyu.gr.jp

振替　00100-6-179157

印刷所　モリモト印刷

ISBN　978-4-7617-0747-7